초능력 수학 연산을 사면 초능력 쌤이 우리집으로 온다!

초능력 쌤과 함께하는 연산 원리 동영상 강의 무료 제공

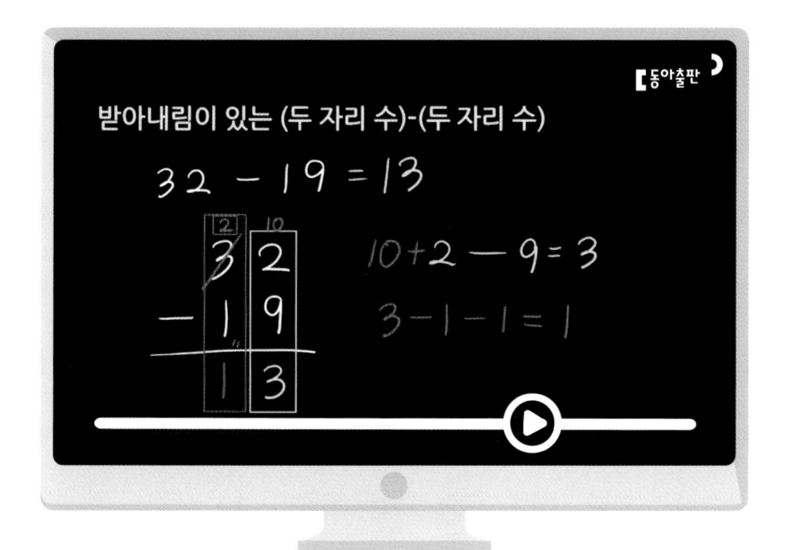

자꾸 연산에서 실수를 해요.
도와줘요~ 초능력 쌤!

연산에서 자꾸 실수를 하는 건 연산 원리를 제대로 이해하지 못했기 때문이야.

연산 원리요?
어떻게 연산 원리를 공부하면 돼요?

이제부터 내가 하나하나 알려줄게.
지금 바로 무료 스마트러닝에 접속해 봐.

초능력 쌤이랑 공부하니 제대로 연산 기초가 탄탄해지네요!

초능력 수학 연산 무료 스마트러닝 접속 방법

방법 1

동아출판 홈페이지 **www.bookdonga.com**에 접속하면 초능력 수학 연산 무료 스마트러닝을 이용할 수 있습니다.

방법 2

핸드폰이나 태블릿으로 **교재 표지나 본문에 있는 QR코드**를 찍으면 무료 스마트러닝에서 연산 원리 동영상 강의를 이용할 수 있습니다.

초능력 쌤과 키우자, 공부힘!

국어 독해

예비 초등~6학년(전 7권)

- 30개의 지문을 글의 종류와 구조에 따라 분석
- 지문 내용과 관련된 어휘와 배경 지식도 탄탄하게 정리

수학 연산

1학년~6학년(전 12권)

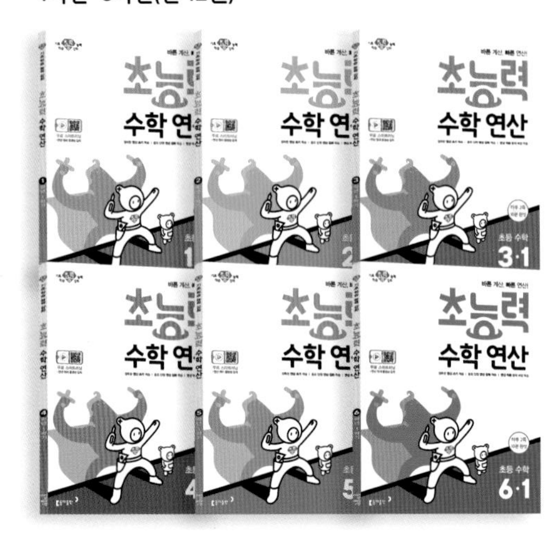

- 학년, 학기별 중요 연산 단원 집중 강화 학습
- 원리 강의를 통해 문제 풀이에 바로 적용

맞춤법+받아쓰기

예비 초등~2학년(전 3권)

- 맞춤법의 기본 원리를 이해하기 쉽게 설명
- 맞춤법 문제도 재미있는 풀이 강의로 해결

구구단 / 시계 • 달력 / 분수

1학년~5학년(전 3권)

- 초등 수학 핵심 영역을 한 권으로 효율적으로 학습
- 개념 강의를 통해 원리부터 이해

비주얼씽킹 초등 한국사 / 과학

1학년~6학년(각 3권)

- 비주얼씽킹으로 쉽게 이해하는 한국사
- 과학 개념을 재미있게 그림으로 설명

급수 한자

8급, 7급, 6급(전 3권)

- 급수 한자 8급, 7급, 6급 기출문제 완벽 분석
- 혼자서도 한자능력검정시험 완벽 대비

이 책을 학습한 날짜와 학습 결과를 체크해 보세요.

초능력 수학 연산 학습 플래너

스스로 학습 계획을 세우고 달성하면서
수학 연산 실력 향상은 물론
연산을 적용하는 힘을 키울 수 있습니다.

DAY	공부한 날	확인	DAY	공부한 날	확인
01	월 일	☺ ☹	28	월 일	☺ ☹
02	월 일	☺ ☹	29	월 일	☺ ☹
03	월 일	☺ ☹	30	월 일	☺ ☹
04	월 일	☺ ☹	31	월 일	☺ ☹
05	월 일	☺ ☹	32	월 일	☺ ☹
06	월 일	☺ ☹	33	월 일	☺ ☹
07	월 일	☺ ☹	34	월 일	☺ ☹
08	월 일	☺ ☹	35	월 일	☺ ☹
09	월 일	☺ ☹	36	월 일	☺ ☹
10	월 일	☺ ☹	37	월 일	☺ ☹
11	월 일	☺ ☹	38	월 일	☺ ☹
12	월 일	☺ ☹	39	월 일	☺ ☹
13	월 일	☺ ☹	40	월 일	☺ ☹
14	월 일	☺ ☹	41	월 일	☺ ☹
15	월 일	☺ ☹	42	월 일	☺ ☹
16	월 일	☺ ☹	43	월 일	☺ ☹
17	월 일	☺ ☹	44	월 일	☺ ☹
18	월 일	☺ ☹	45	월 일	☺ ☹
19	월 일	☺ ☹	46	월 일	☺ ☹
20	월 일	☺ ☹	47	월 일	☺ ☹
21	월 일	☺ ☹	48	월 일	☺ ☹
22	월 일	☺ ☹	49	월 일	☺ ☹
23	월 일	☺ ☹	50	월 일	☺ ☹
24	월 일	☺ ☹	51	월 일	☺ ☹
25	월 일	☺ ☹	52	월 일	☺ ☹
26	월 일	☺ ☹	53	월 일	☺ ☹
27	월 일	☺ ☹	54	월 일	☺ ☹

이렇게 활용하세요.

공부한 날에 맞게 날짜를 쓰고
학습 결과에 맞추어 확인란에 체크합니다.

예

DAY	공부한 날	확인
01	1 월 2 일	☺ ☹

초능력 수학 연산 칸 노트 활용법

중학교, 고등학교에서도 초등학교 때 배운 수학 연산을 바탕으로 새로운 지식을 배우게 됩니다.
수학 연산에서 가장 중요한 것은 정확성입니다.
계산 실수를 하지 않는 습관을 들이는 것이 가장 중요합니다.

바른 계산 원리 이해

원리 단계에서 칸 노트에 제시된 문제를 해결하면서 바른 계산 원리를 이해합니다.

바른 계산 연습

연습 단계에서 제시된 가로셈 문제를 직접 **정확성 UP**! 칸 노트에 세로셈으로 옮겨 쓰고, 자릿값에 맞추어 계산하면서 바른 계산을 연습합니다.

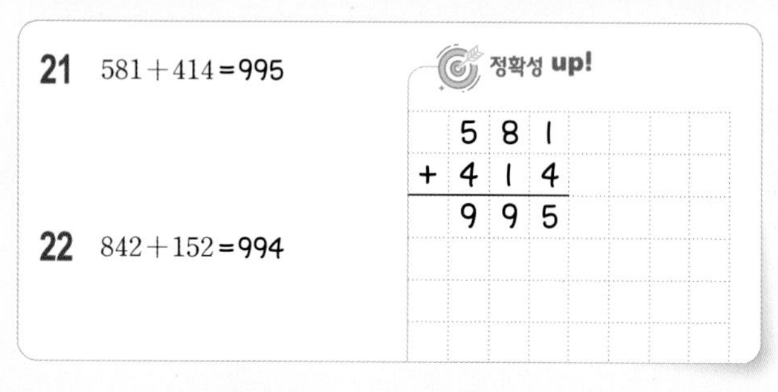

적용 문제 해결

적용 단계에서 제시된 적용 문제를 가로셈으로 나타낸 다음 다시 **정확성 UP**! 칸 노트에 세로셈으로 옮겨 쓰고, 자릿값에 맞추어 계산하면서 문제해결력을 강화합니다.

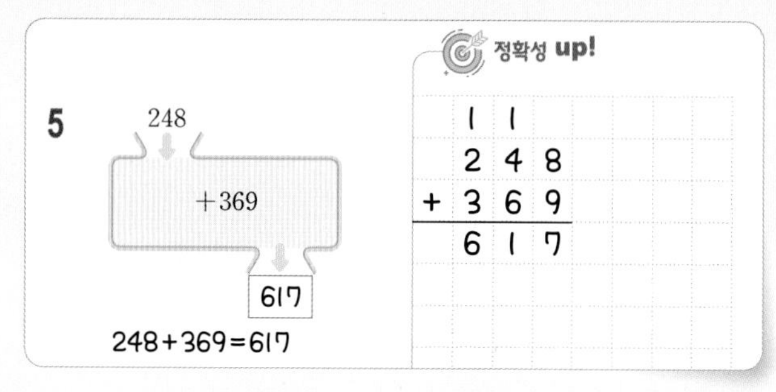

바른 계산, **빠른** 연산!

초능력

수학 연산

초등 수학

2·2

2학년 2학기
연계 학년 단원 구성

교과서 모든 영역별 계산 문제를 단원별로 묶어 한 학기를 끝내도록 구성되어 있어요.

이럴 땐 이렇게 교재를 선택하세요.

1. 해당 학기 교재 단원 중 어려워하는 단원은 이전 학기 교재를 선택하여 부족한 부분을 보충하세요.
2. 해당 학기 교재 단원을 완벽히 이해했으면 다음 학기 교재를 선택하여 실력을 키워요.

2학년 1학기

단원	학습 내용
1. 세 자리 수	백, 몇백, 세 자리 수, 뛰어 세기, 수의 크기 비교
2. 덧셈	받아올림이 있는 (두 자리 수)+(한 자리 수), 받아올림이 있는 (두 자리 수)+(두 자리 수), 여러 가지 방법으로 덧셈하기, 세 수의 덧셈
3. 뺄셈	받아내림이 있는 (두 자리 수)−(한 자리 수), 받아내림이 있는 (두 자리 수)−(두 자리 수), 덧셈과 뺄셈의 관계, ■의 값 구하기, 세 수의 뺄셈, 세 수의 덧셈과 뺄셈
4. 곱셈	몇 배, 곱셈식

2학년 2학기

단원	1. 네 자리 수
학습 내용	❶ 100이 10개인 수 / 몇천 알아보기
	❷ 네 자리 수 알아보기
	❸ 각 자리의 숫자 알아보기
	❹ 뛰어 세기
	❺ 두 수의 크기 비교

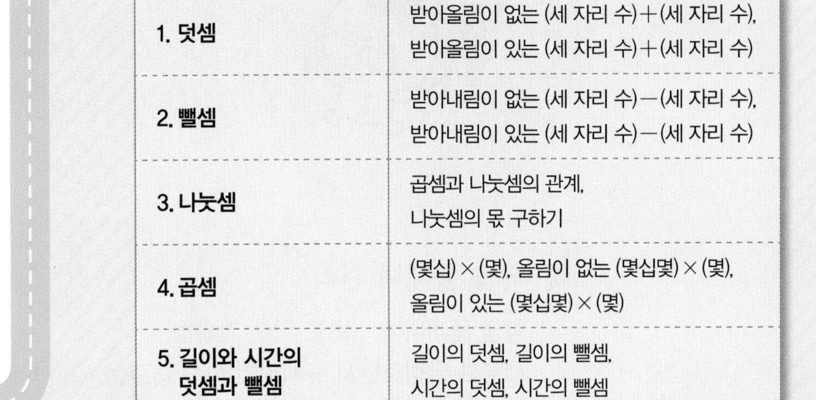

단원	학습 내용
1. 덧셈	받아올림이 없는 (세 자리 수)+(세 자리 수), 받아올림이 있는 (세 자리 수)+(세 자리 수)
2. 뺄셈	받아내림이 없는 (세 자리 수)−(세 자리 수), 받아내림이 있는 (세 자리 수)−(세 자리 수)
3. 나눗셈	곱셈과 나눗셈의 관계, 나눗셈의 몫 구하기
4. 곱셈	(몇십)×(몇), 올림이 없는 (몇십몇)×(몇), 올림이 있는 (몇십몇)×(몇)
5. 길이와 시간의 덧셈과 뺄셈	길이의 덧셈, 길이의 뺄셈, 시간의 덧셈, 시간의 뺄셈

2. 곱셈구구	3. 길이 재기	4. 시각과 시간
❶ 2의 단 곱셈구구 ❷ 3의 단 곱셈구구 ❸ 4의 단 곱셈구구 ❹ 5의 단 곱셈구구	❶ 길이의 합	❶ 시간과 분의 관계 ❷ 하루의 시간
❺ 6의 단 곱셈구구 ❻ 7의 단 곱셈구구 ❼ 8의 단 곱셈구구 ❽ 9의 단 곱셈구구 ❾ 1의 단 곱셈구구 / 0과 어떤 수의 곱	❷ 길이의 차	❸ 달력 알기

이런 점이 좋아요!

학습 플래너 관리

학습 플래너에 스스로 학습 계획을 세우고 달성하면서 규칙적인 학습 습관을 키우도록 합니다.

특화 단원 집중 강화 학습

학년, 학기별 중요한 연산 단원을 집중 강화 학습할 수 있도록 구성하여 연산력을 완성합니다.

정확성을 길러주는 연산 쓰기 연습

기계적으로 단순 반복하는 연산 학습이 아닌 칸 노트를 활용하여 스스로 정확하게 쓰는 연습에 집중하도록 합니다.

연산 능력을 문제에 적용하는 학습

연산을 실전 문제에 적용하여 풀어볼 수 있어 연산력 뿐만 아니라 수학 실력도 향상시킵니다.

이렇게 구성되어 있어요!

원리

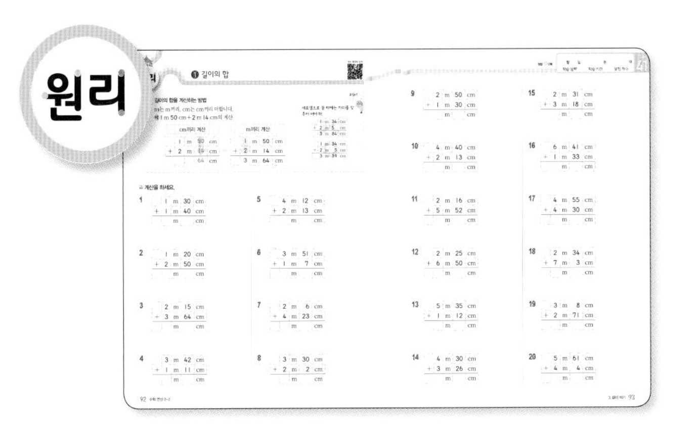

학습 내용별 연산 원리를 문제로 설명하여 계산 원리를 스스로 익힙니다.

QR코드를 스마트폰으로 찍으면 연산 원리 동영상 강의를 무료로 학습할 수 있습니다.

연습

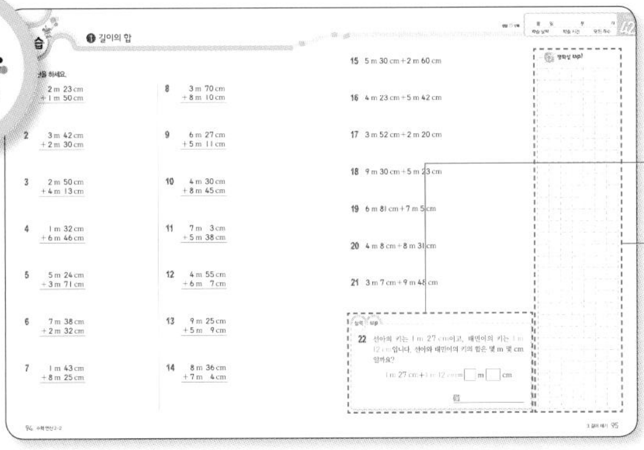

❶ 길이의 합

…을 하세요.

1 2 m 23 cm + 1 m 50 cm

2 3 m 42 cm + 2 m 30 cm

3 2 m 50 cm + 4 m 13 cm

4 1 m 32 cm + 6 m 46 cm

5 5 m 24 cm + 3 m 71 cm

6 7 m 38 cm + 2 m 32 cm

7 1 m 43 cm + 8 m 25 cm

8 3 m 70 cm + 8 m 10 cm

9 6 m 27 cm + 5 m 11 cm

10 4 m 30 cm + 8 m 45 cm

11 7 m 3 cm + 5 m 38 cm

12 4 m 55 cm + 6 m 7 cm

13 9 m 25 cm + 5 m 9 cm

14 8 m 36 cm + 7 m 4 cm

15 5 m 30 cm + 2 m 60 cm

16 4 m 23 cm + 5 m 42 cm

17 3 m 52 cm + 2 m 20 cm

18 9 m 30 cm + 5 m 23 cm

19 6 m 81 cm + 7 m 5 cm

20 4 m 8 cm + 8 m 31 cm

21 3 m 7 cm + 9 m 48 cm

실력 up

22 선아의 키는 1 m 27 cm이고, 태민이의 키는 1 m 12 cm입니다. 선아와 태민이의 키의 합은 몇 m 몇 cm일까요?

1 m 27 cm + 1 m 12 cm = □ m □ cm

답 ______

정확성 up!

학습 내용별 원리를 토대로 문제를 해결하면서 연습을 충분히 합니다.

실력 up 연산이 적용되는 실전 문제를 해결하면서 수학 실력을 키웁니다.

정확성 up! 칸 노트를 활용하여 자릿값에 맞추어 문제를 쓰고 해결하면서 정확성을 높입니다.

	2	5	1
+	7	3	1
	9	8	2

적용

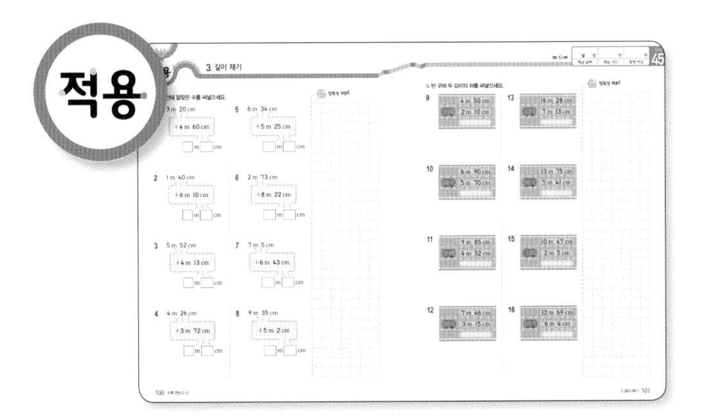

학습 내용별 충분히 연습한 연산 원리를 유연하게 조작하여 스스로 문제를 해결하는 능력을 키웁니다.

평가

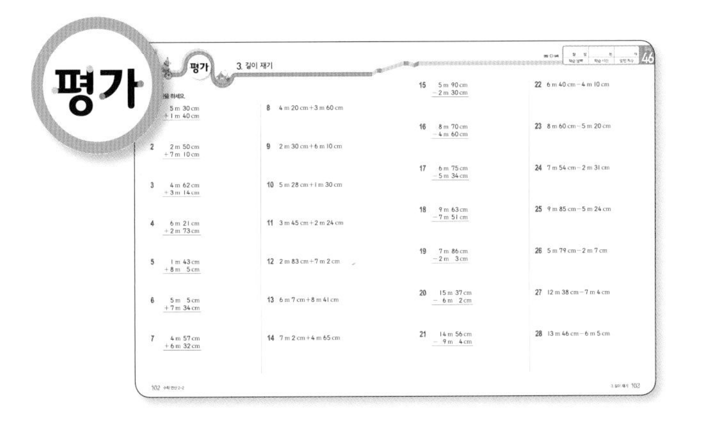

학습 내용별 연습과 적용에서 학습한 내용을 토대로 한 단원의 내용을 종합적으로 확인합니다.

차례

1 네 자리 수

학습 계획표

학습 내용	원리	연습
❶ 1000이 10개인 수 / 몇천 알아보기	Day **01**	Day **02**
❷ 네 자리 수 알아보기	Day **03**	Day **04**
❸ 각 자리의 숫자 알아보기	Day **05**	Day **06**
❹ 뛰어 세기	Day **07**	Day **08**
❺ 두 수의 크기 비교	Day **09**	Day **10**
적용	Day **11**	
평가	Day **12**	

학습 관리 tip 맨 앞장의 학습 플래너를 이용하여 학습 스케줄을 관리하도록 하세요!

원리

❶ 100이 10개인 수 / 몇천 알아보기

◎ 100이 10개인 수 알아보기

• 100이 10개인 수  쓰기 1000  읽기 천

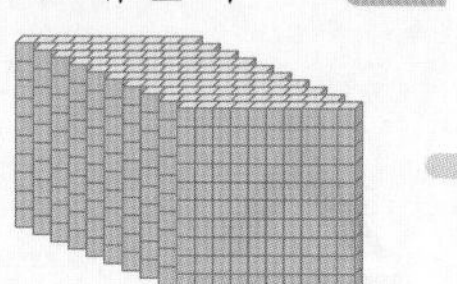
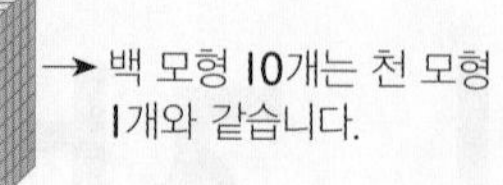

→ 백 모형 10개는 천 모형 1개와 같습니다.

• 1000을 나타내는 수
- 900보다 100만큼 더 큰 수
- 990보다 10만큼 더 큰 수
- 999보다 1만큼 더 큰 수

◎ 몇천 알아보기

1000이 4개인 수 쓰기 4000 읽기 사천

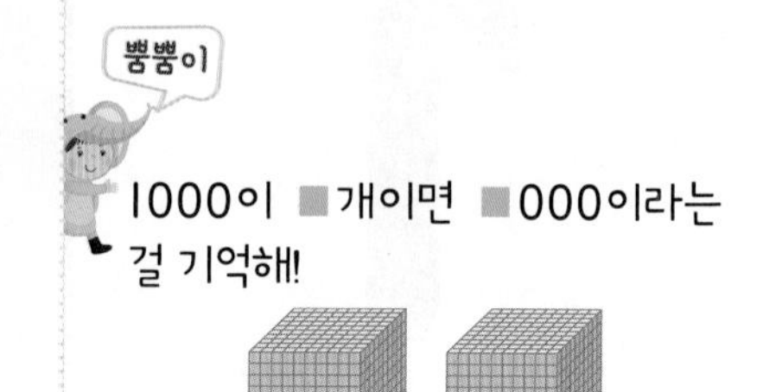

수 모형을 보고 □ 안에 알맞은 수를 써넣으세요.

1

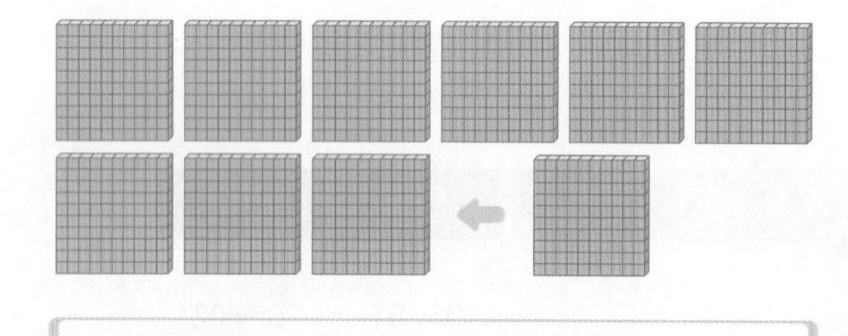

900보다 □만큼 더 큰 수
→ □

2

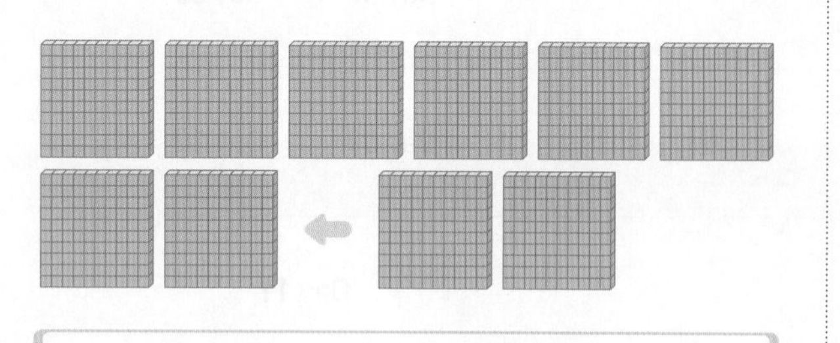

800보다 □만큼 더 큰 수
→ □

3

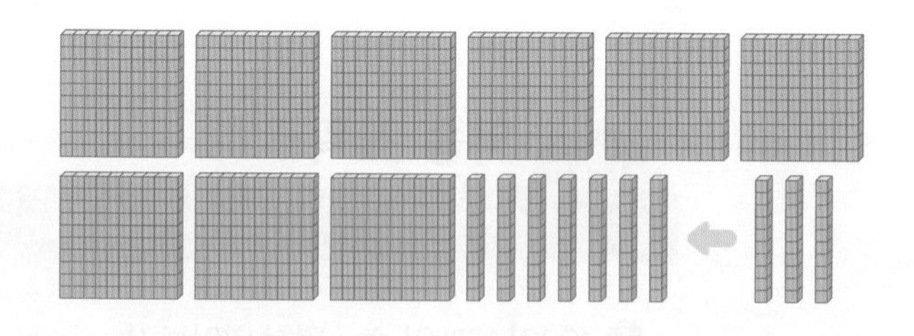

970보다 □만큼 더 큰 수
→ □

4

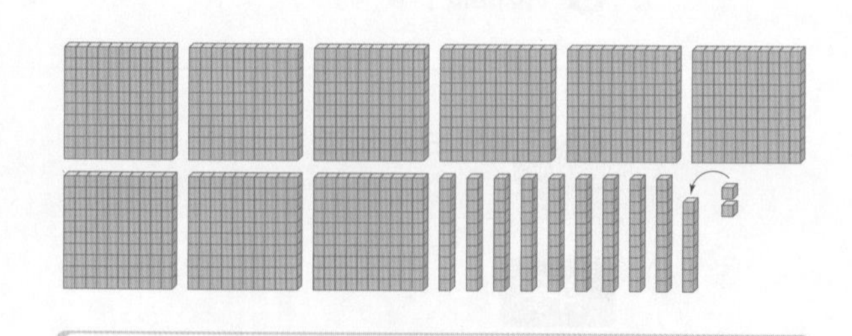

998보다 □만큼 더 큰 수
→ □

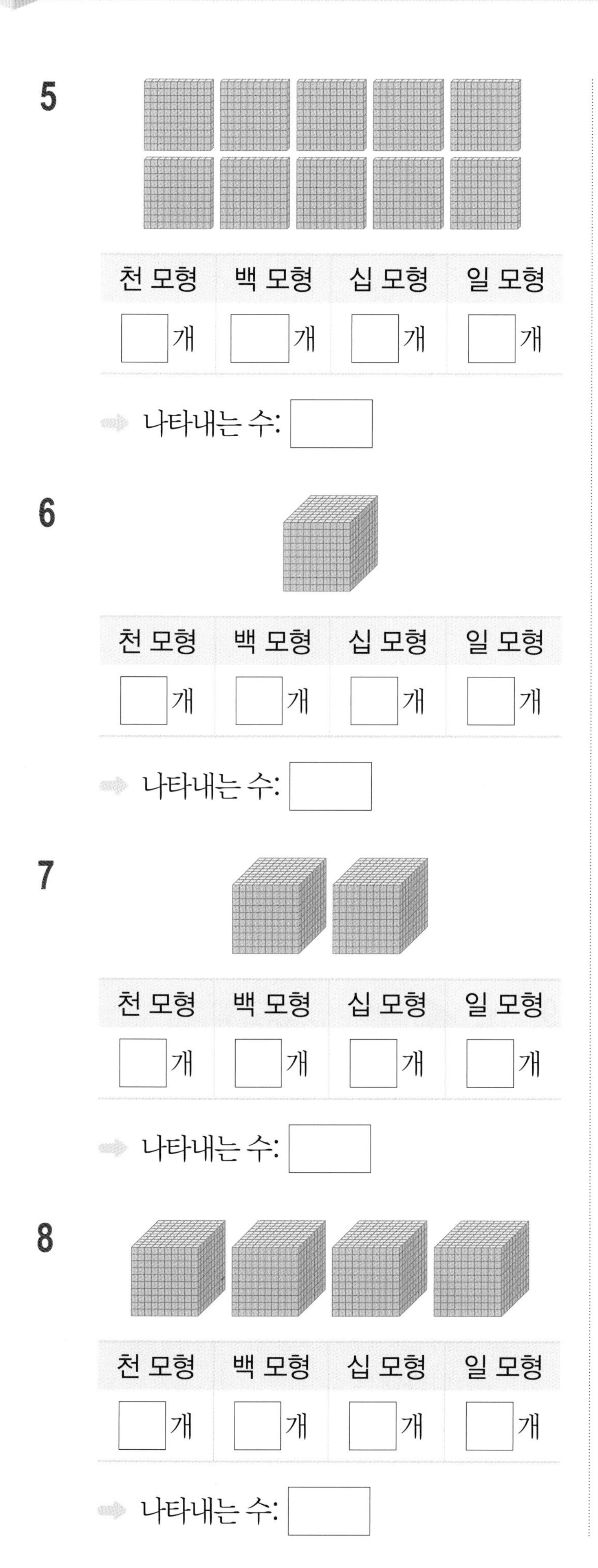

5

천 모형	백 모형	십 모형	일 모형
☐개	☐개	☐개	☐개

➡ 나타내는 수: ☐

6

천 모형	백 모형	십 모형	일 모형
☐개	☐개	☐개	☐개

➡ 나타내는 수: ☐

7

천 모형	백 모형	십 모형	일 모형
☐개	☐개	☐개	☐개

➡ 나타내는 수: ☐

8

천 모형	백 모형	십 모형	일 모형
☐개	☐개	☐개	☐개

➡ 나타내는 수: ☐

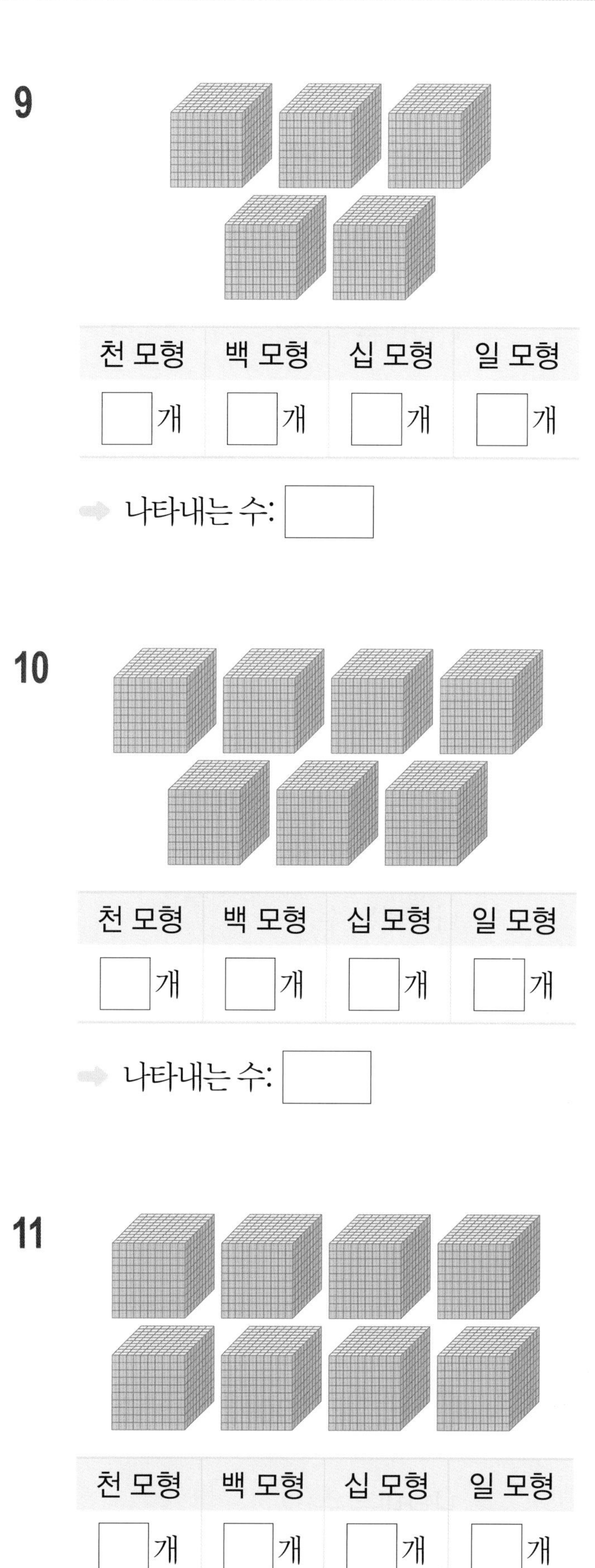

9

천 모형	백 모형	십 모형	일 모형
☐개	☐개	☐개	☐개

➡ 나타내는 수: ☐

10

천 모형	백 모형	십 모형	일 모형
☐개	☐개	☐개	☐개

➡ 나타내는 수: ☐

11

천 모형	백 모형	십 모형	일 모형
☐개	☐개	☐개	☐개

➡ 나타내는 수: ☐

❶ 100이 10개인 수 / 몇천 알아보기

□ 안에 알맞은 수를 써넣으세요.

1

➡ 나타내는 수: □

2

100이 10개인 수

➡ 나타내는 수: □

3

➡ 나타내는 수: □

4

➡ 나타내는 수: □

5

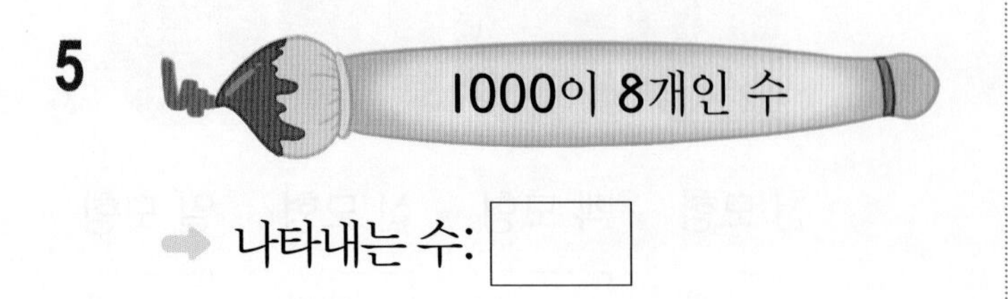

➡ 나타내는 수: □

6

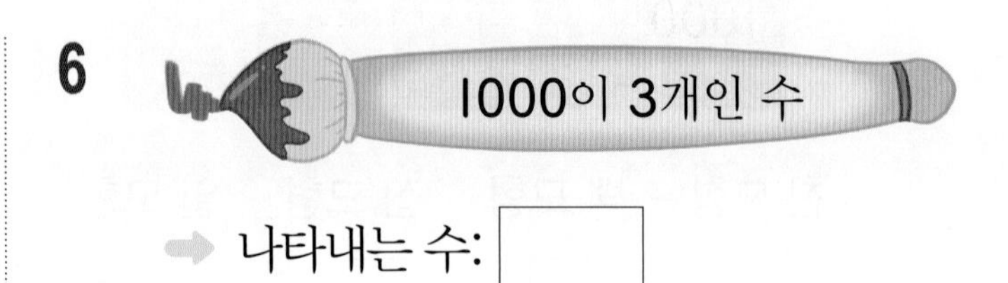

➡ 나타내는 수: □

7

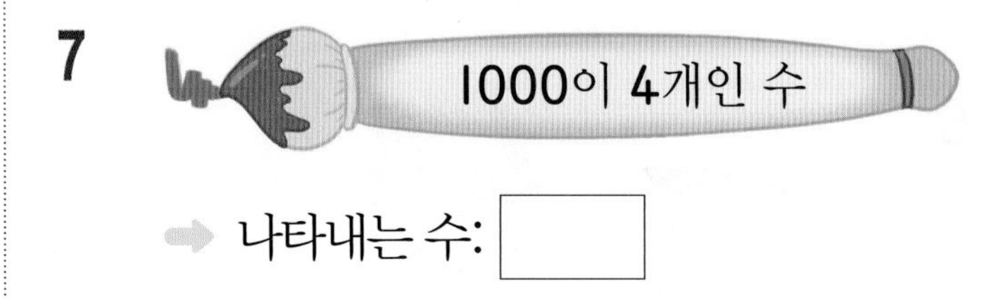

➡ 나타내는 수: □

8

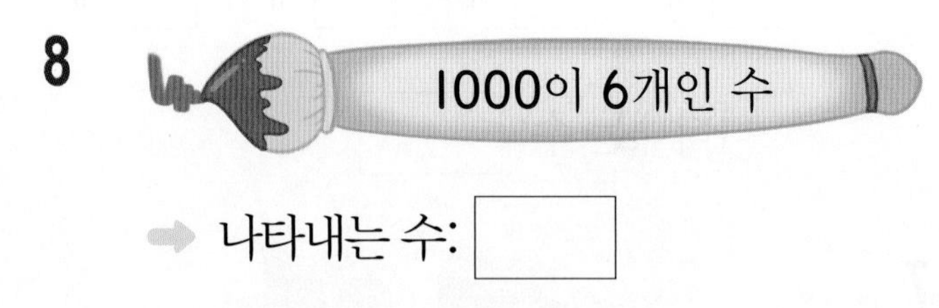

➡ 나타내는 수: □

9

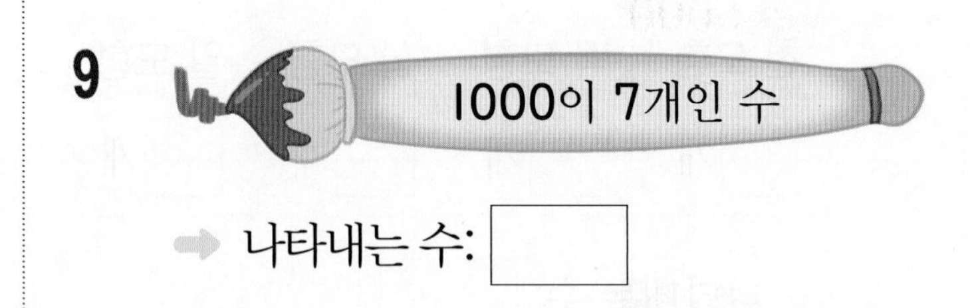

➡ 나타내는 수: □

10

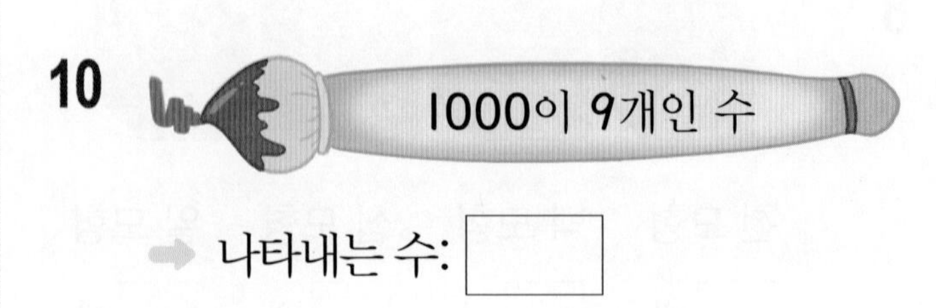

➡ 나타내는 수: □

수를 읽어 보세요.

11

12

13

14

15

16

17
3000

숫자로 쓰세요.

18

19

20
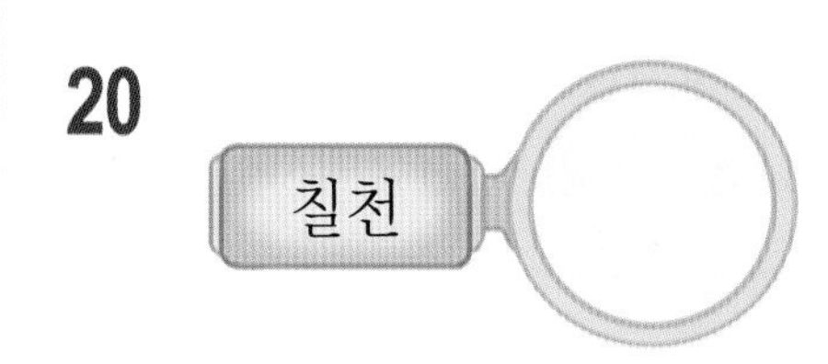

21
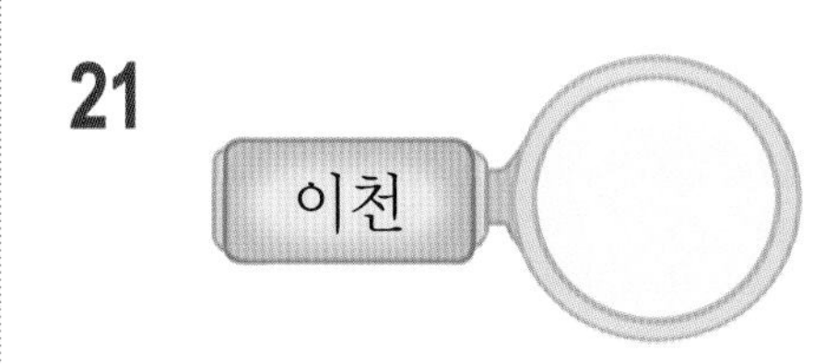

22

실력 up

23 저금통에 100원짜리 동전이 40개 들어 있습니다. 저금통에 들어 있는 돈은 모두 얼마인지 수로 쓰고, 읽어 보세요.

100이 40개인 수

② 네 자리 수 알아보기

네 자리 수를 쓰고, 읽기

네 자리 수는 천 모형, 백 모형, 십 모형, 일 모형의 수를 차례로 써서 나타냅니다.

천 모형	백 모형	십 모형	일 모형
1000이 2개	100이 3개	10이 4개	1이 8개

➡ 1000이 2개, 100이 3개, 10이 4개, 1이 8개인 수

쓰기 2348 읽기 이천삼백사십팔

조심이

숫자가 0인 자리는 읽지 않아야 해.

1000이 5개, 100이 0개, 10이 0개, 1이 6개인 수

➡ 쓰기 5006

읽기 오천영백영십육

➡ 쓰기 5006

읽기 오천육

수 모형을 보고 □ 안에 알맞은 수를 써넣으세요.

1

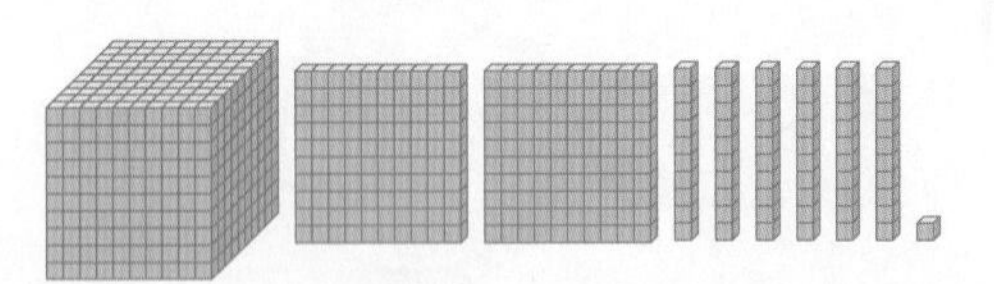

천 모형	백 모형	십 모형	일 모형
□개	□개	□개	□개

➡ 나타내는 수: □

2

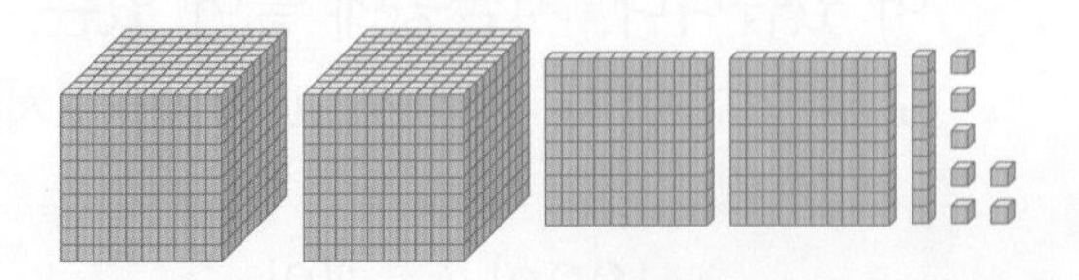

천 모형	백 모형	십 모형	일 모형
□개	□개	□개	□개

➡ 나타내는 수: □

3

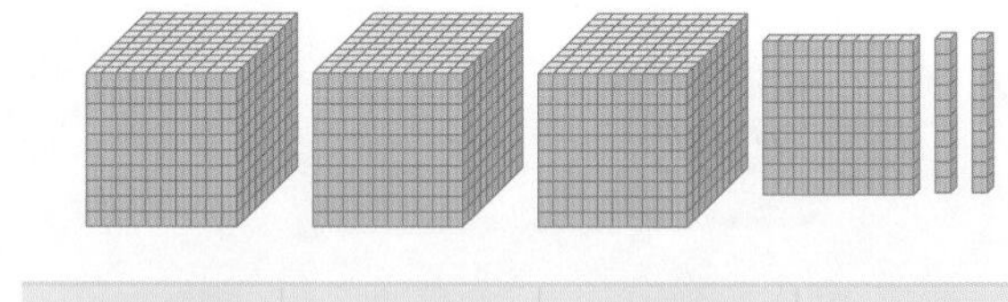

천 모형	백 모형	십 모형	일 모형
□개	□개	□개	□개

➡ 나타내는 수: □

4

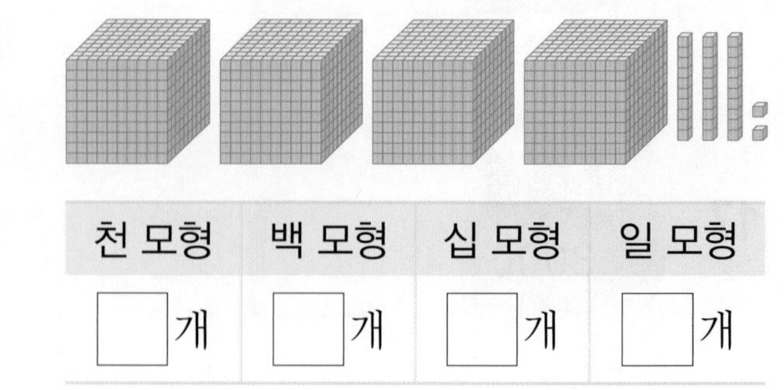

천 모형	백 모형	십 모형	일 모형
□개	□개	□개	□개

➡ 나타내는 수: □

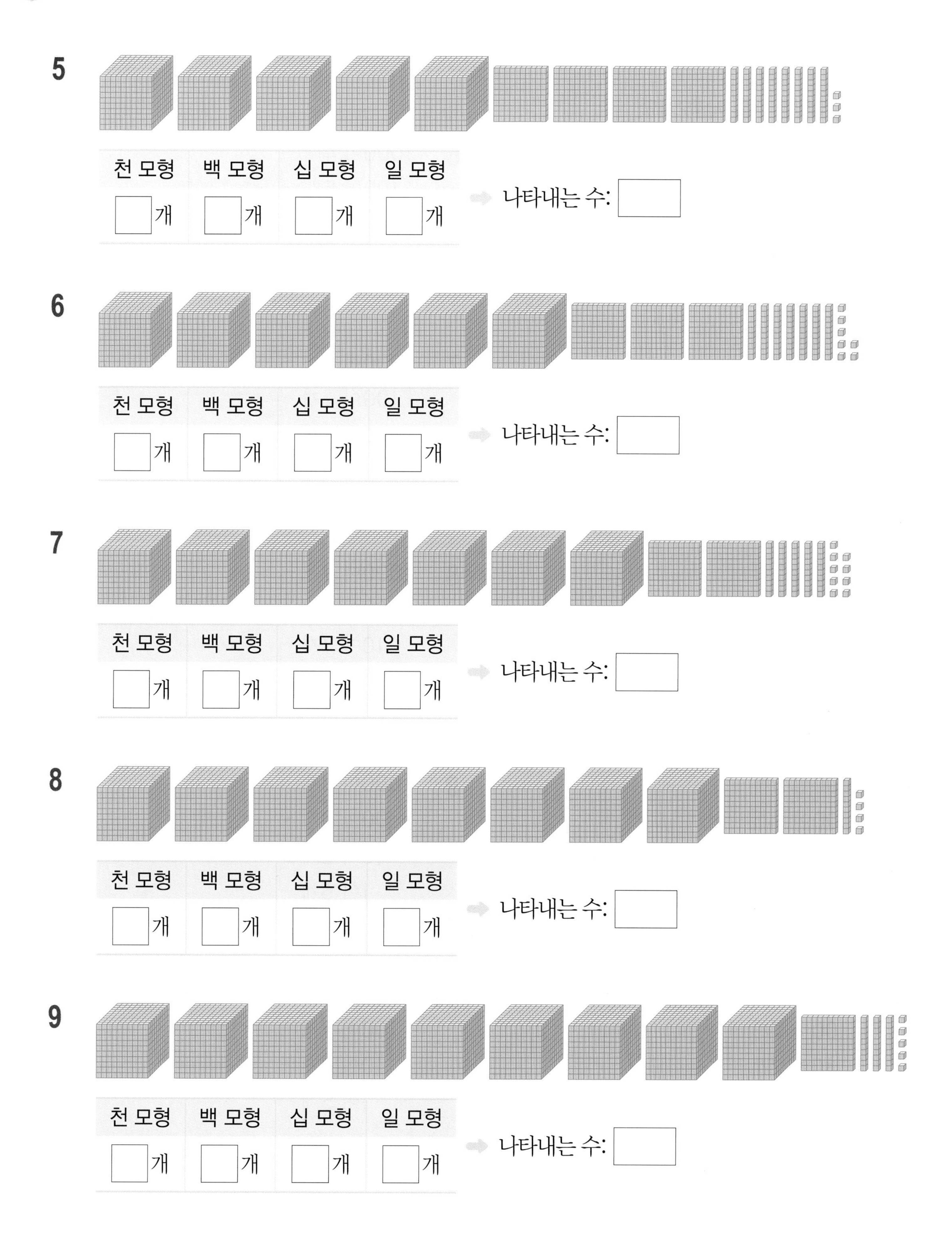

5

천 모형	백 모형	십 모형	일 모형
□개	□개	□개	□개

➡ 나타내는 수: □

6

천 모형	백 모형	십 모형	일 모형
□개	□개	□개	□개

➡ 나타내는 수: □

7

천 모형	백 모형	십 모형	일 모형
□개	□개	□개	□개

➡ 나타내는 수: □

8

천 모형	백 모형	십 모형	일 모형
□개	□개	□개	□개

➡ 나타내는 수: □

9

천 모형	백 모형	십 모형	일 모형
□개	□개	□개	□개

➡ 나타내는 수: □

❷ 네 자리 수 알아보기

빈 곳에 알맞은 수를 써넣으세요.

1
1000이 3개
100이 5개
10이 8개
1이 2개
→ ☐

2
1000이 1개
100이 4개
10이 9개
1이 6개
→ ☐

3
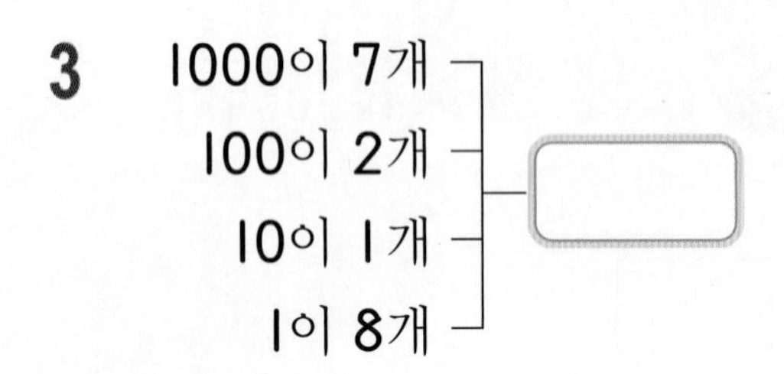
1000이 7개
100이 2개
10이 1개
1이 8개
→ ☐

4
1000이 5개
100이 9개
10이 3개
1이 6개
→ ☐

5
1000이 2개
100이 7개
10이 2개
1이 1개
→ ☐

6
1000이 4개
100이 5개
10이 3개
1이 9개
→ ☐

7
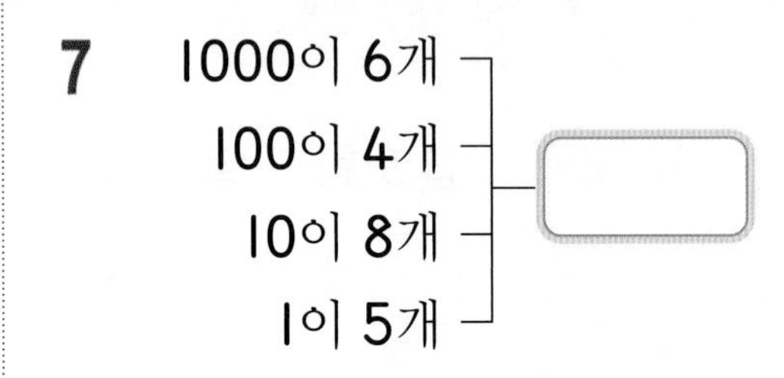
1000이 6개
100이 4개
10이 8개
1이 5개
→ ☐

8
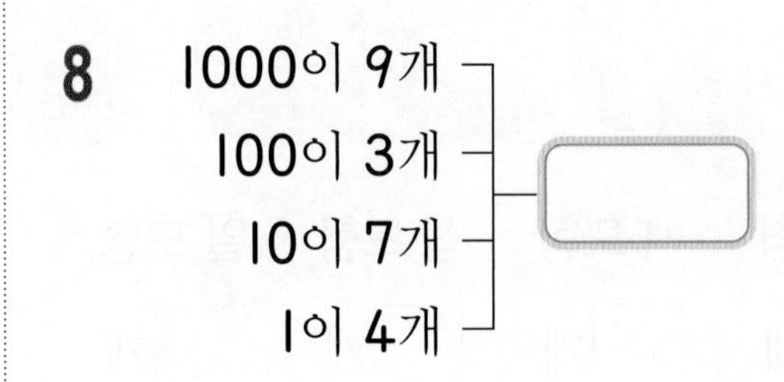
1000이 9개
100이 3개
10이 7개
1이 4개
→ ☐

9
1000이 8개
100이 0개
10이 2개
1이 6개
→ ☐

10
1000이 3개
100이 7개
10이 0개
1이 5개
→ ☐

월 일	분	개
학습 날짜	학습 시간	맞힌 개수

수를 읽어 보세요.

11 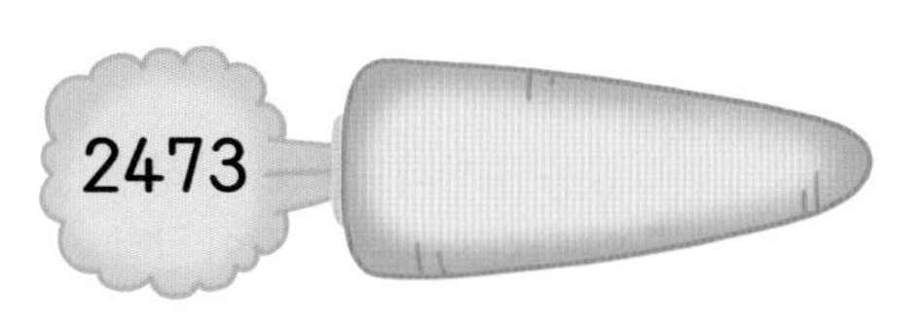

12 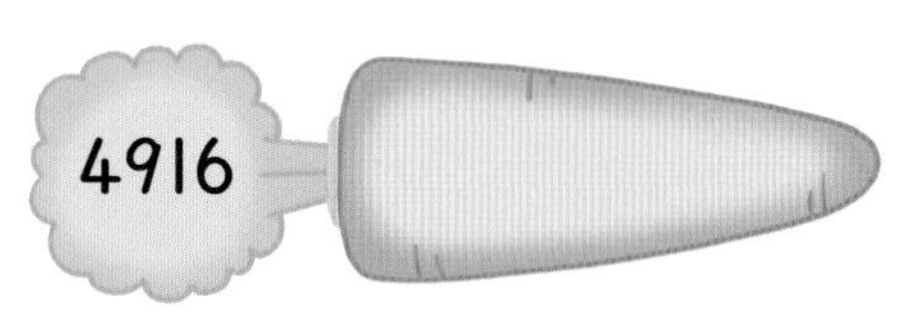

13 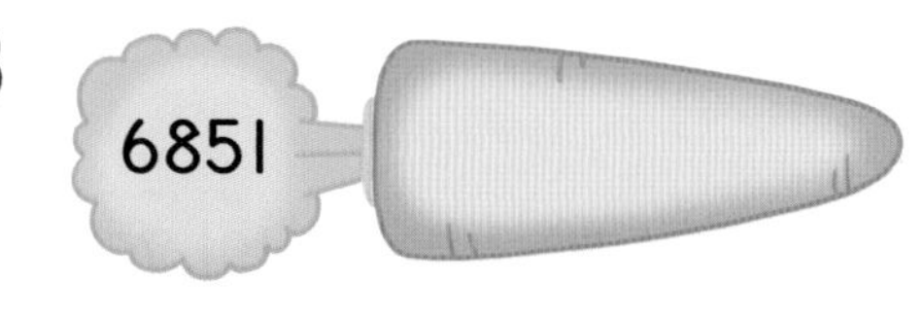

14 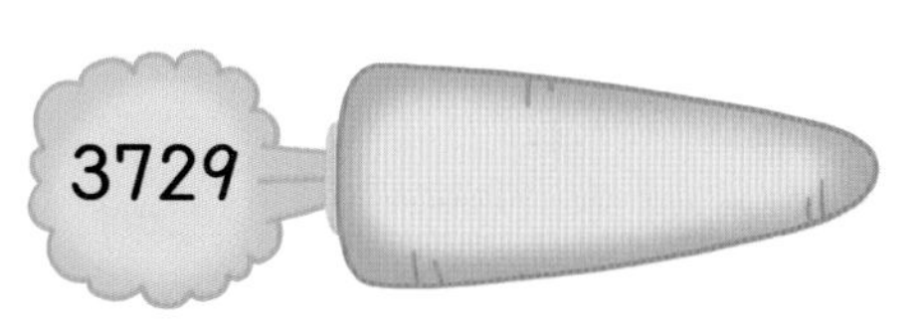

15 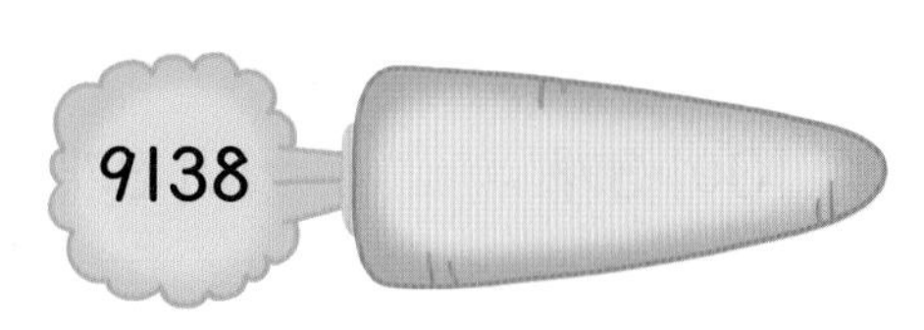

16 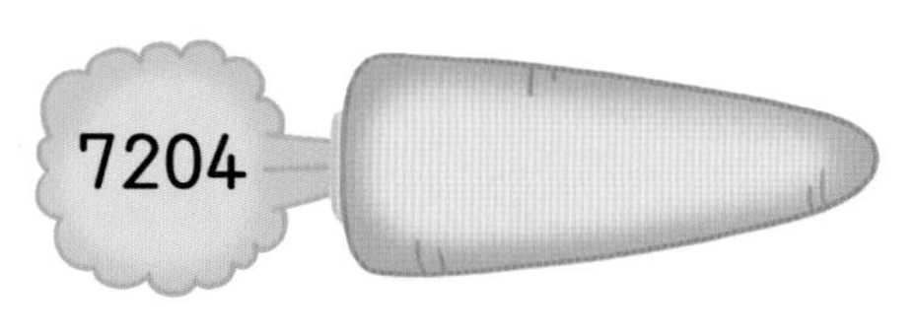

17 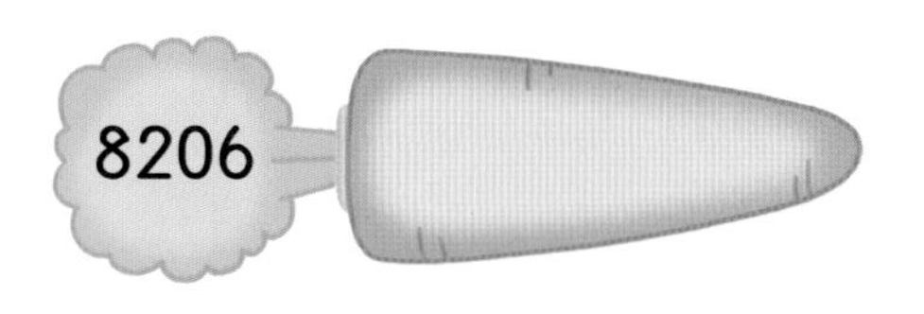

숫자로 쓰세요.

18 

19 

20 

21 

실력 up

22 정은이가 가지고 있는 돈을 수로 쓰고, 읽어 보세요.

쓰기 ____________________

읽기 ____________________

원리 ❸ 각 자리의 숫자 알아보기

● 3582의 각 자리의 숫자가 얼마를 나타내는지 알아보기

1000이 3개	100이 5개	10이 8개	1이 2개
3000	500	80	2

3은 천의 자리 숫자이고, 3000을 나타냅니다.
5는 백의 자리 숫자이고, 500을 나타냅니다.
8은 십의 자리 숫자이고, 80을 나타냅니다.
2는 일의 자리 숫자이고, 2를 나타냅니다.
➡ 3582=3000+500+80+2

뿜뿜이
같은 숫자라도 어느 자리에 있는지에 따라 나타내는 값이 달라.

7777 나타내는 값
→ 7000
→ 700
→ 70
→ 7

□ 안에 알맞은 수를 써넣으세요.

1 1647 ➡

1000이 1개	100이 6개	10이 4개	1이 7개
1000	600	□	□

1647=□+□+□+□

2 5238 ➡

1000이 5개	100이 2개	10이 3개	1이 8개
5000	□	□	□

5238=□+□+□+□

3 6549 ➡

1000이 6개	100이 5개	10이 □개	1이 □개
□	□	□	□

6549=□+□+□+□

4

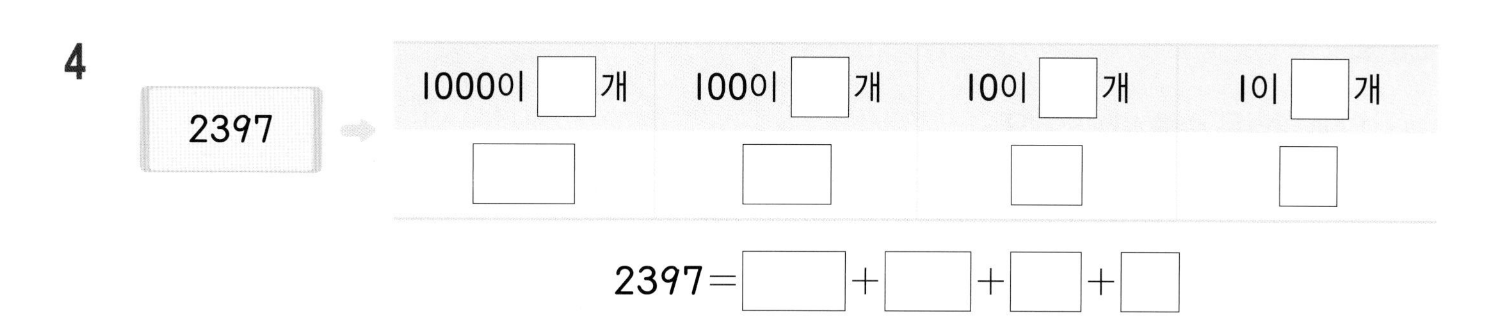
2397
1000이 개
100이 개
10이 개
1이 개
2397=+++

5

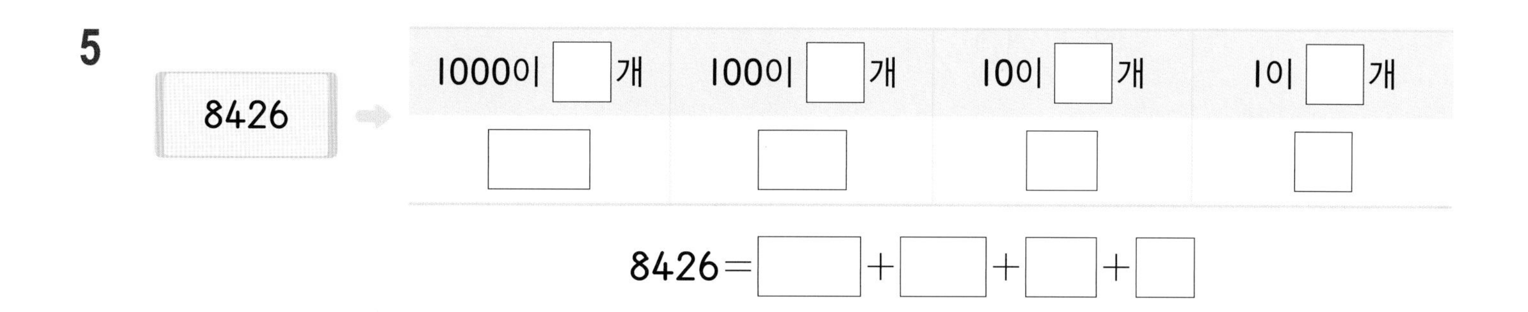
8426
1000이 개
100이 개
10이 개
1이 개
8426=+++

6

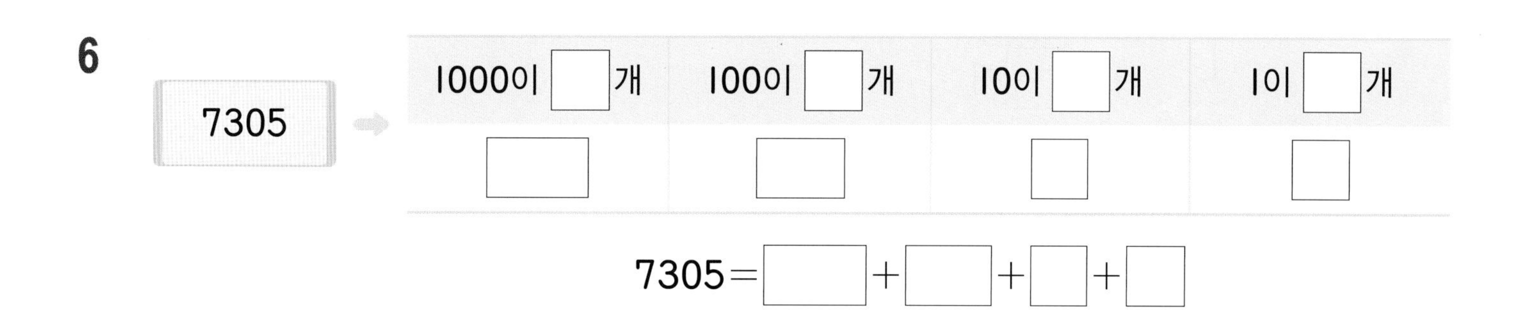
7305
1000이 개
100이 개
10이 개
1이 개
7305=+++

7

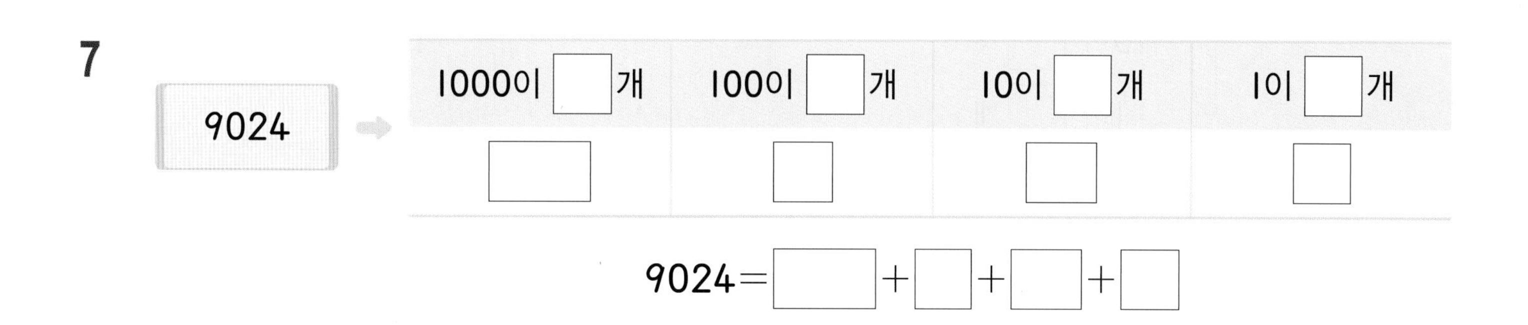
9024
1000이 개
100이 개
10이 개
1이 개
9024=+++

8

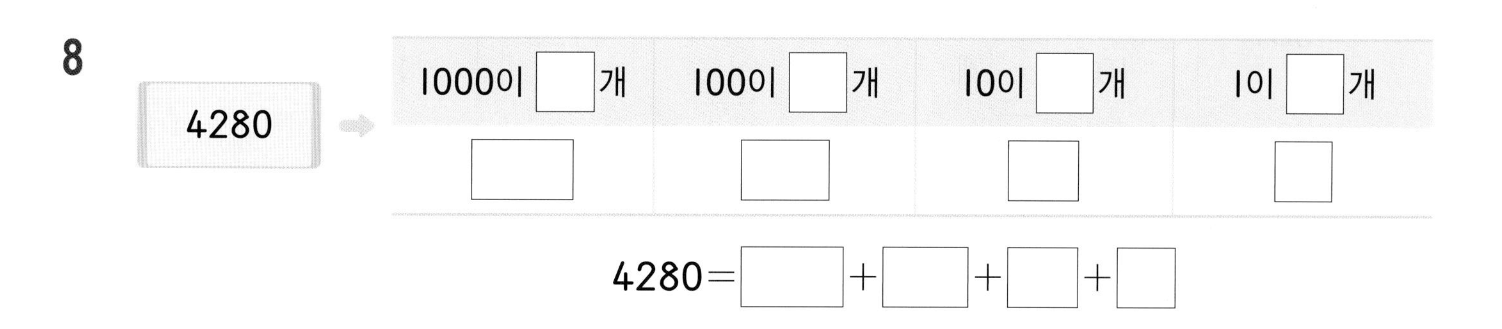
4280
1000이 개
100이 개
10이 개
1이 개
4280=+++

❸ 각 자리의 숫자 알아보기

□ 안에 알맞은 수를 써넣으세요.

1

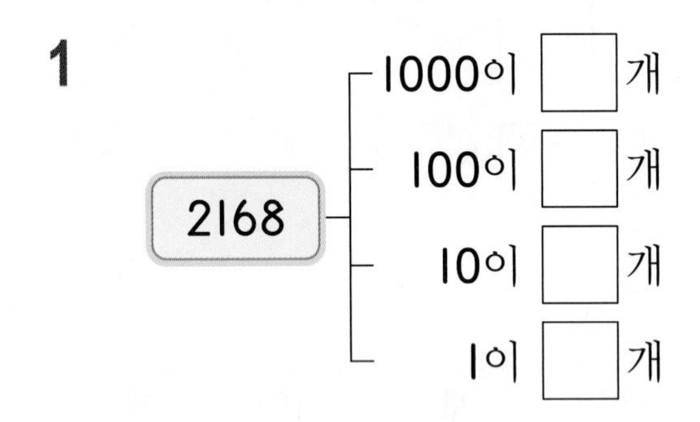

2

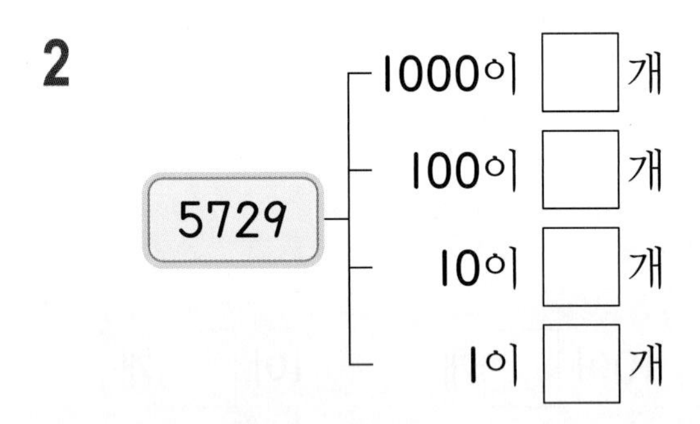

3

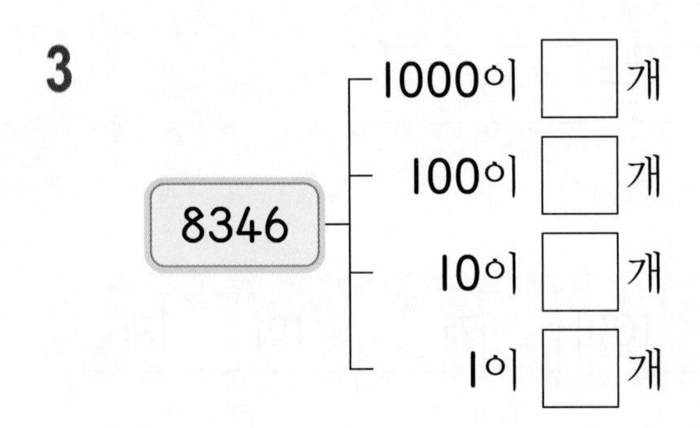

4

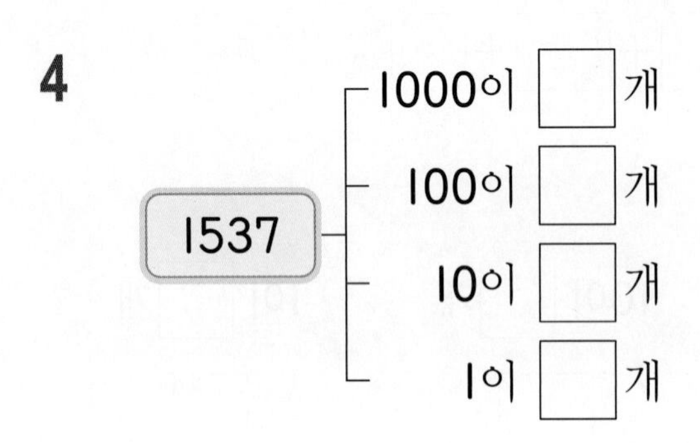

5

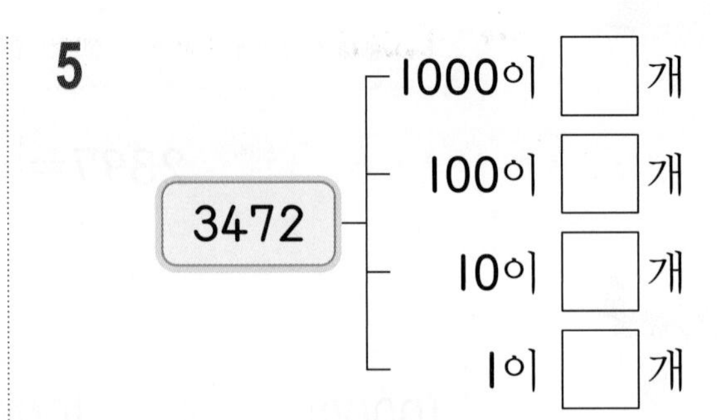

6

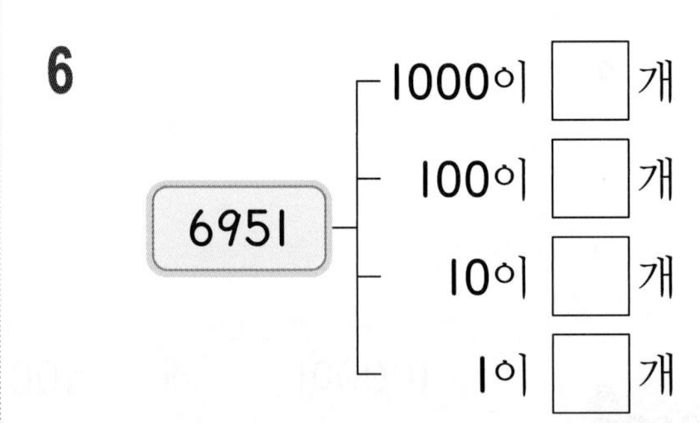

7

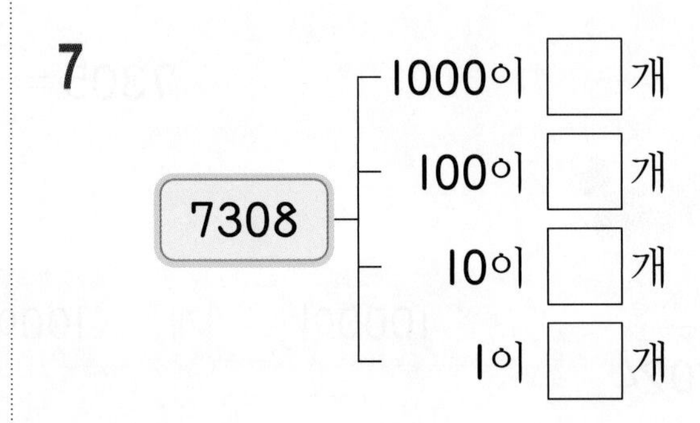

8

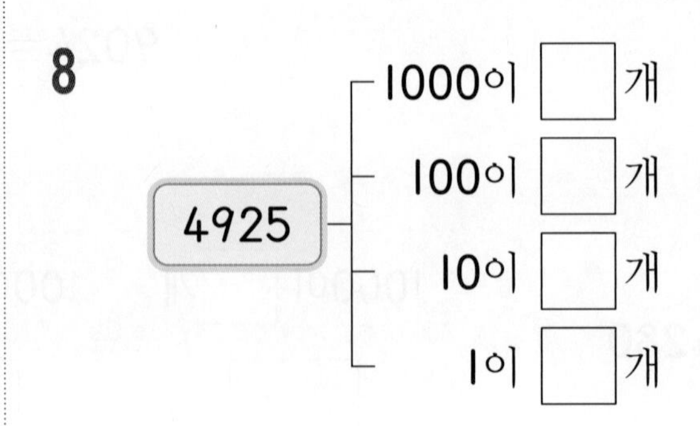

밑줄 친 숫자가 나타내는 값을 쓰세요.

9 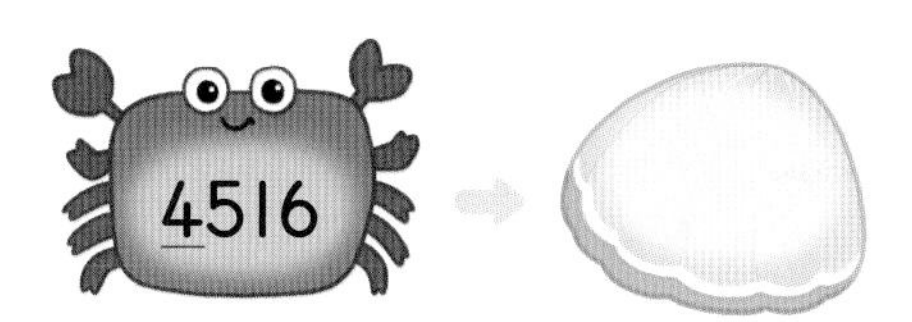

10 

11 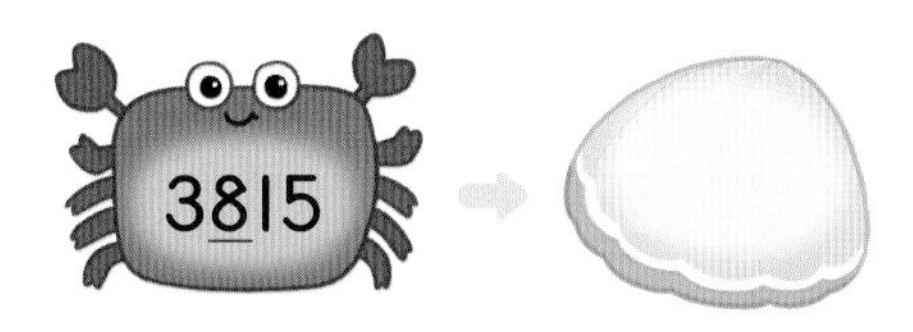

12 

13 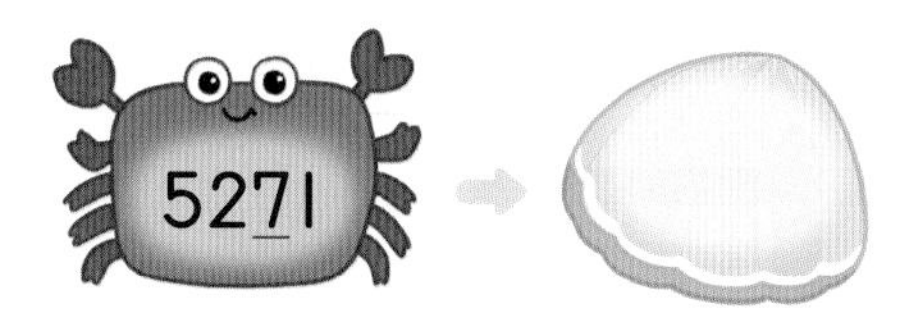

14 

15 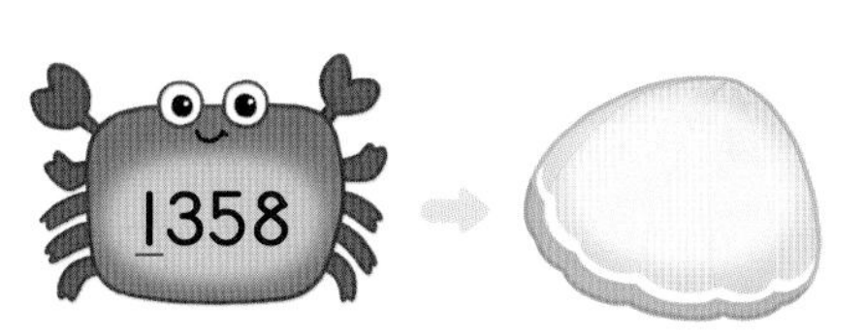

16 

17 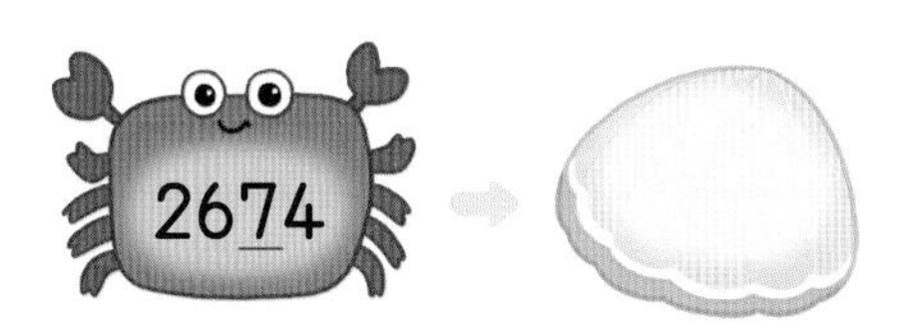

18 

19 

20 

21 다음 수에서 ㉠이 나타내는 값과 ㉡이 나타내는 값을 각각 쓰세요.

6457
(6 → ㉠, 5 → ㉡)

답 ㉠: , ㉡:

원리 동영상 강의

원리 ❹ 뛰어 세기

뛰어 세기

• 1000씩 뛰어 세면 천의 자리 수가 1씩 커집니다.

1967 — 2967 — 3967 — 4967 — 5967

• 100씩 뛰어 세면 백의 자리 수가 1씩 커집니다.

6149 — 6249 — 6349 — 6449 — 6549

• 10씩 뛰어 세면 십의 자리 수가 1씩 커집니다.

8710 — 8720 — 8730 — 8740 — 8750

• 1씩 뛰어 세면 일의 자리 수가 1씩 커집니다.

7521 — 7522 — 7523 — 7524 — 7525

뿡뿡이

■의 자리 수가 1씩 커지면 ■씩 뛰어 센 거야.

3222—4222—5222—6222—7222

➡ 천의 자리 수가 1씩 커지므로 1000씩 뛰어 센 것입니다.

1000씩 뛰어서 세어 보세요.

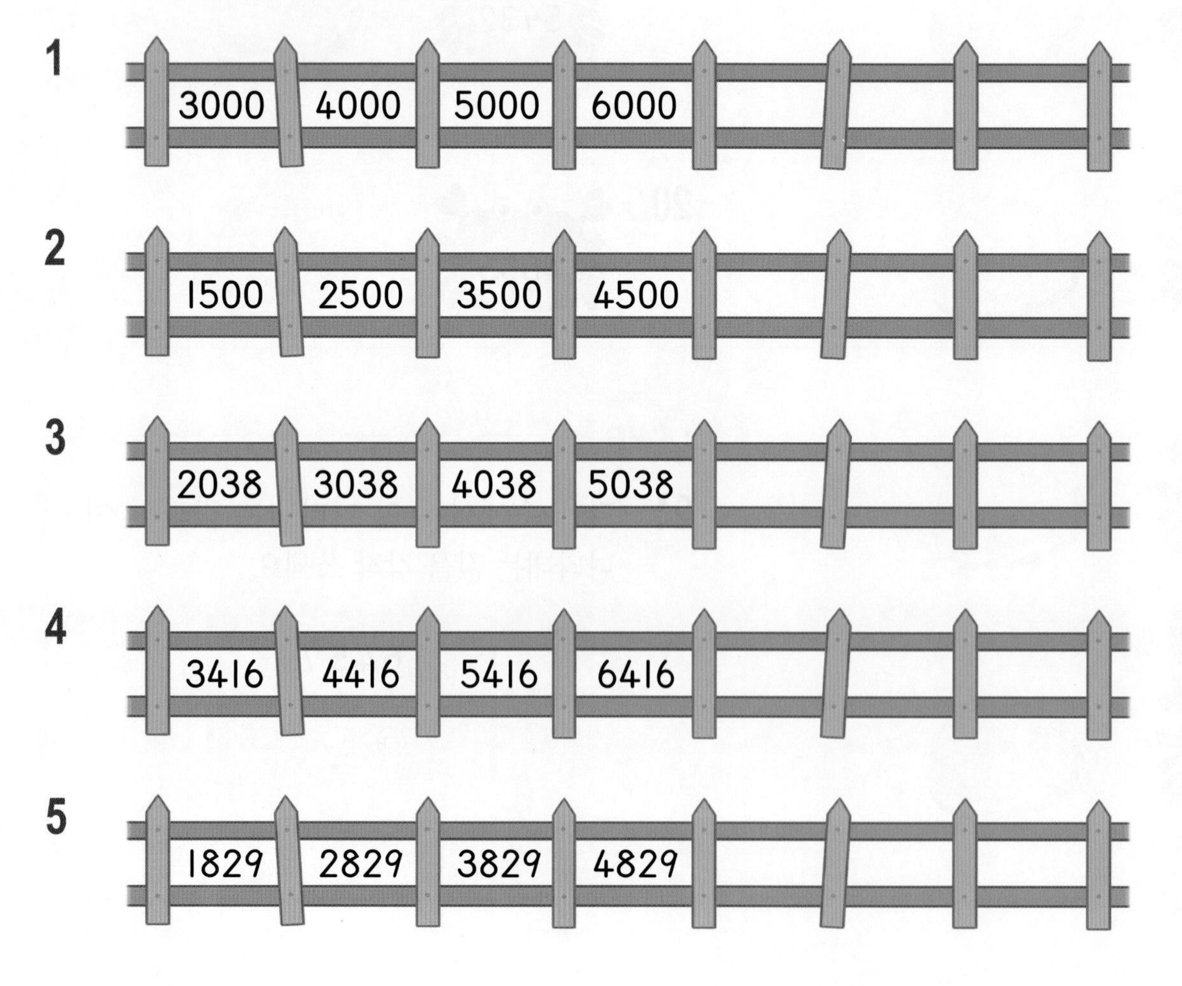

100씩 뛰어서 세어 보세요.

6

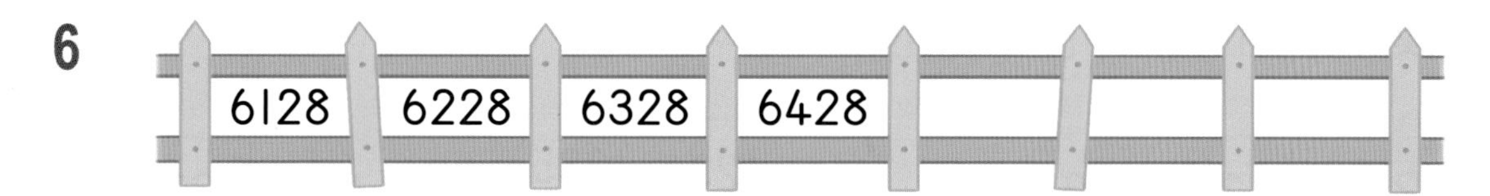

7

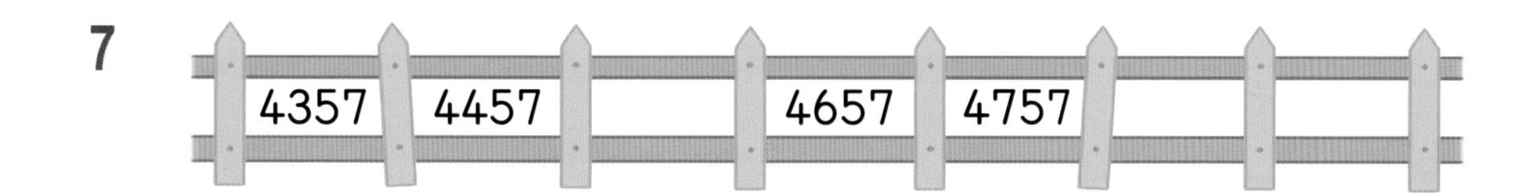

8

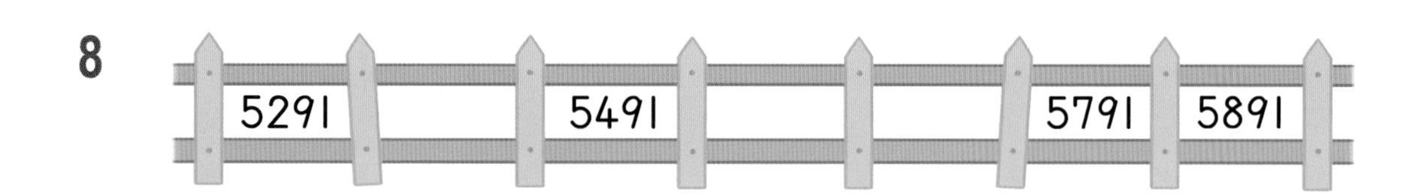

10씩 뛰어서 세어 보세요.

9

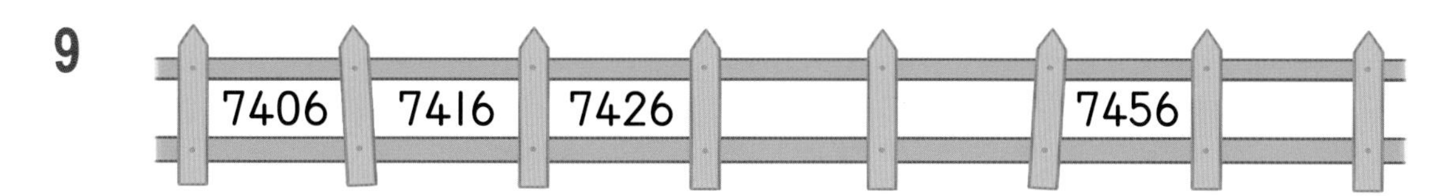

10

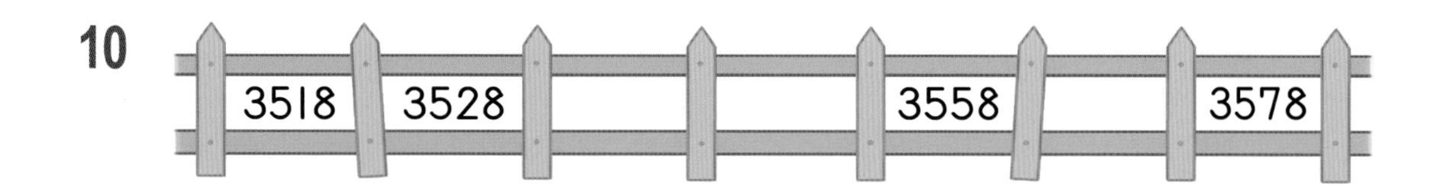

1씩 뛰어서 세어 보세요.

11

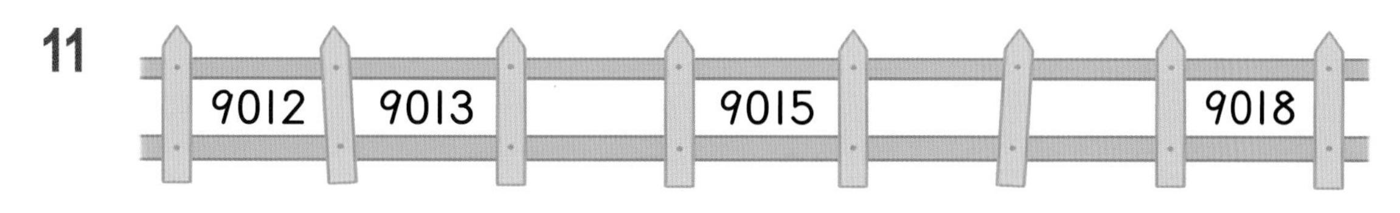

12

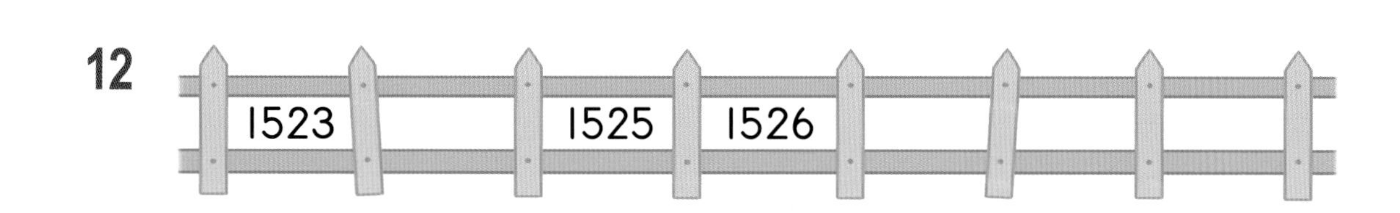

④ 뛰어 세기

뛰어서 센 것입니다. 몇씩 뛰어서 세었는지 □ 안에 알맞은 수를 써넣으세요.

1

4120	5120	6120	7120	8120

□씩

2

6359	6459	6559	6659	6759

□씩

3

8713	8723	8733	8743	8753

□씩

4

3045	3046	3047	3048	3049

□씩

5

9586	9686	9786	9886	9986

□씩

6

2703	3703	4703	5703	6703

□씩

7

1234	1235	1236	1237	1238

□씩

8

7046	7056	7066	7076	7086

□씩

9

5469	6469	7469	8469	9469

□씩

10

4817	4827	4837	4847	4857

□씩

11

6923	6924	6925	6926	6927

□씩

12

8410	8510	8610	8710	8810

□씩

뛰어서 센 것입니다. □ 안에 알맞은 수를 써넣으세요.

13

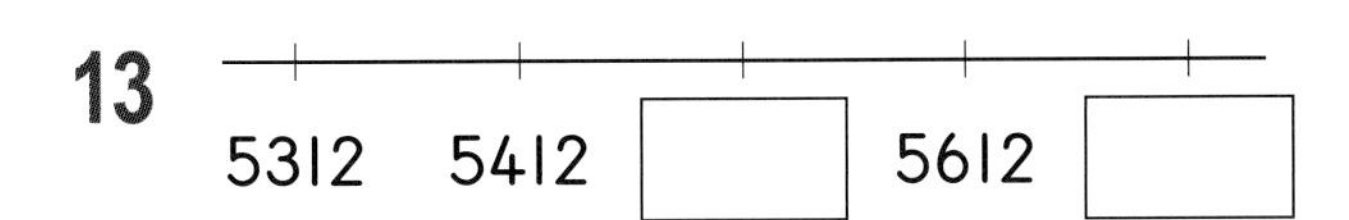

14

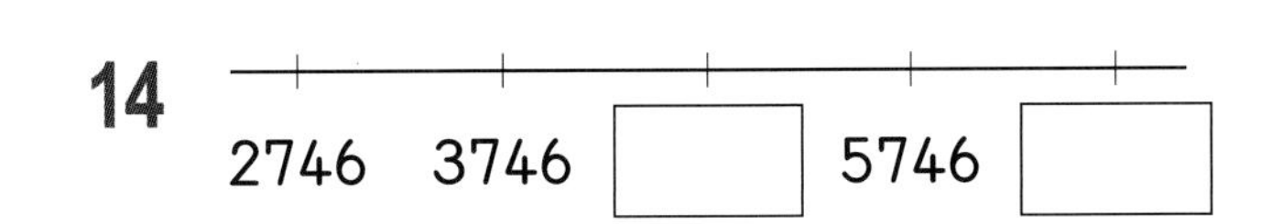

15

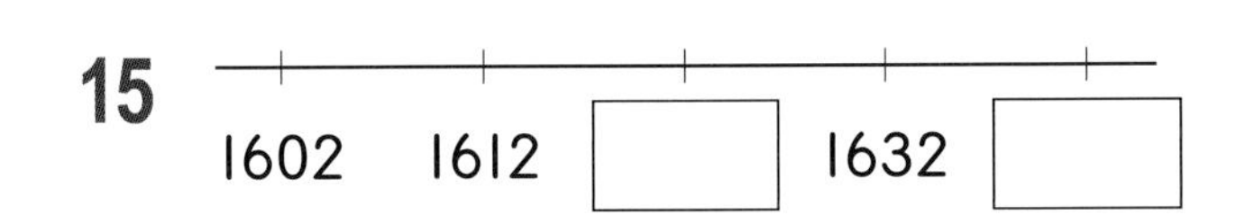

16

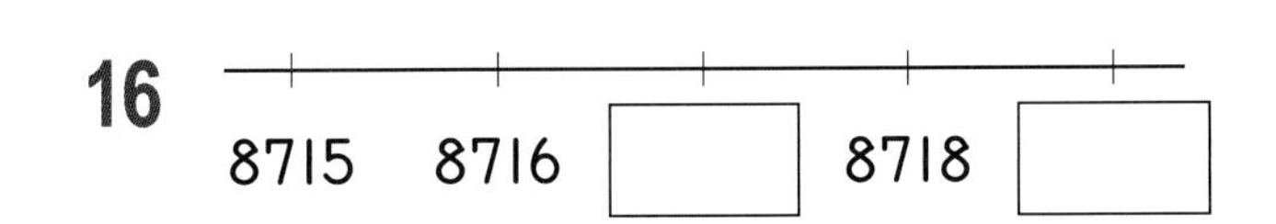

17

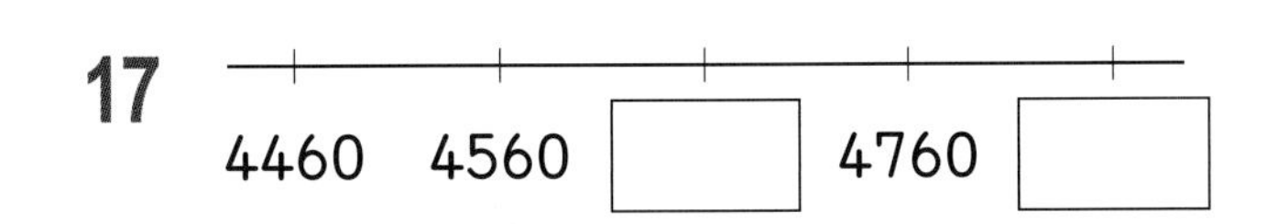

18

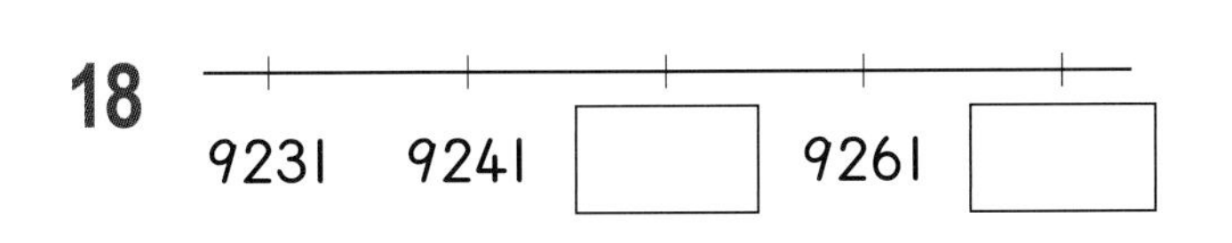

19

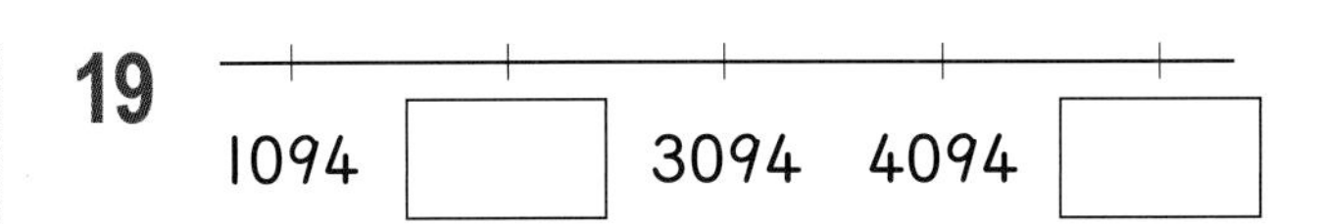

20

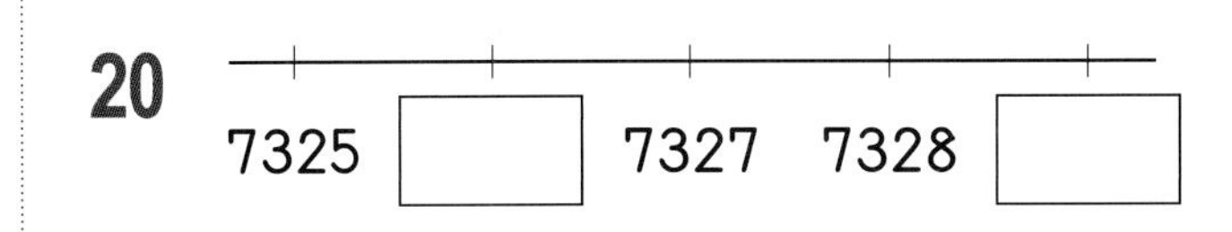

21

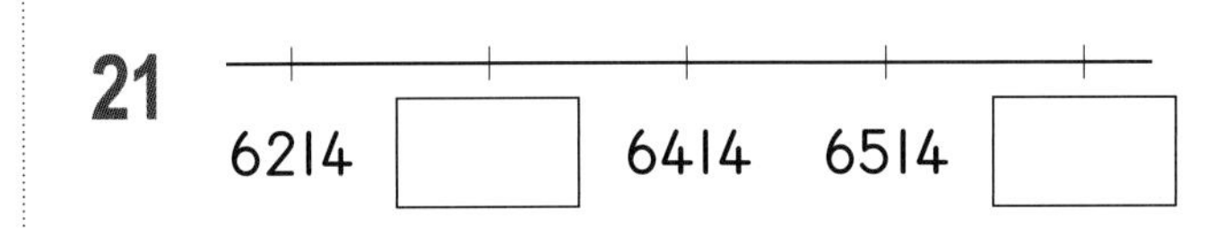

22

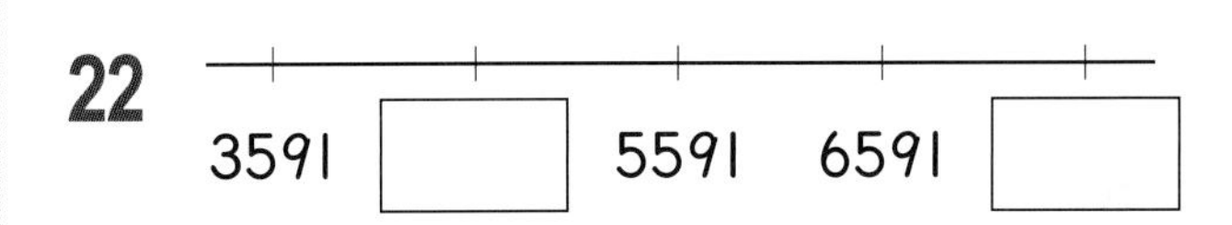

실력 up

23 뛰어서 세었을 때 ㉠에 알맞은 수를 구하세요.

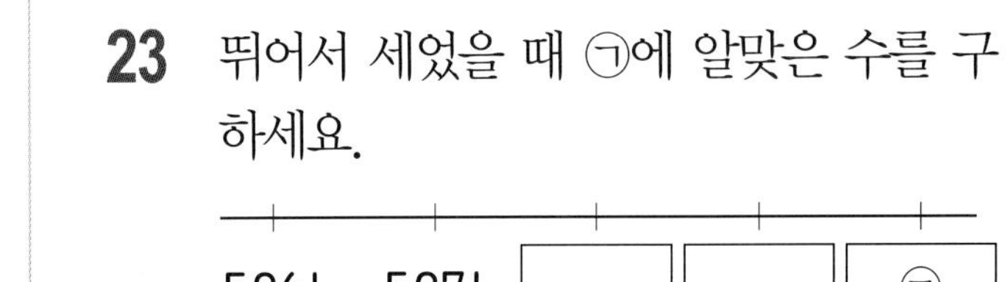

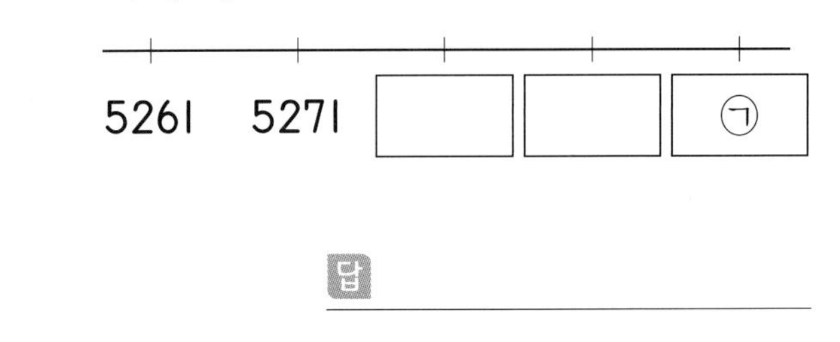

답

❺ 두 수의 크기 비교

네 자리 수의 크기 비교 방법

① 천의 자리 수가 큰 수가 더 큽니다.

➡ 3957 < 6541

② 천의 자리 수가 같으면 백의 자리 수가 큰 수가 더 큽니다.

➡ 5824 > 5136 → 천의 자리 수가 같습니다.

③ 천의 자리, 백의 자리 수가 같으면 십의 자리 수가 큰 수가 더 큽니다.

➡ 6325 < 6371 → 천의 자리, 백의 자리 수가 같습니다.

④ 천의 자리, 백의 자리, 십의 자리 수가 같으면 일의 자리 수가 큰 수가 더 큽니다.

➡ 4297 > 4293 → 천의 자리, 백의 자리, 십의 자리 수가 같습니다.

조심이

네 자리 수의 크기를 비교할 때에는 천 → 백 → 십 → 일의 자리의 순서로 비교해야 해.

2999 > 7111 (9 > 1) ✗

2999 < 7111 (2 < 7) ○

:: 빈칸에 알맞은 수를 써넣고, 두 수의 크기를 비교하여 ○ 안에 > 또는 <를 알맞게 써넣으세요.

1

	천의 자리	백의 자리	십의 자리	일의 자리
4395 ➡	4	3	9	5
6108 ➡				

4395 ○ 6108

2

	천의 자리	백의 자리	십의 자리	일의 자리
7524 ➡	7	5	2	4
7392 ➡				

7524 ○ 7392

3

	천의 자리	백의 자리	십의 자리	일의 자리
2647 ➡				
2691 ➡	2	6	9	1

2647 ○ 2691

4

	천의 자리	백의 자리	십의 자리	일의 자리
5138 ➡				
5134 ➡	5	1	3	4

5138 ○ 5134

5

	천의 자리	백의 자리	십의 자리	일의 자리
8918 →				
8945 →				

8918 ◯ 8945

6

	천의 자리	백의 자리	십의 자리	일의 자리
3416 →				
3270 →				

3416 ◯ 3270

7

	천의 자리	백의 자리	십의 자리	일의 자리
7213 →				
4905 →				

7213 ◯ 4905

8

	천의 자리	백의 자리	십의 자리	일의 자리
6135 →				
6138 →				

6135 ◯ 6138

9

	천의 자리	백의 자리	십의 자리	일의 자리
1453 →				
1470 →				

1453 ◯ 1470

10

	천의 자리	백의 자리	십의 자리	일의 자리
4619 →				
4286 →				

4619 ◯ 4286

❺ 두 수의 크기 비교

두 수의 크기를 비교하여 ○ 안에 > 또는 <를 알맞게 써넣으세요.

1 2400 ○ 3400

2 5810 ○ 5760

3 7423 ○ 7490

4 3159 ○ 2848

5 6048 ○ 6049

6 4227 ○ 4231

7 8516 ○ 5972

8 1648 ○ 1657

9 8253 ○ 8254

10 9196 ○ 9527

11 6219 ○ 4875

12 2574 ○ 2539

13 5631 ○ 5634

14 7428 ○ 7502

15 5519 ◯ 5516

16 7438 ◯ 9123

17 4516 ◯ 4271

18 2392 ◯ 2403

19 6458 ◯ 6470

20 8793 ◯ 4392

21 9135 ◯ 9138

22 3847 ◯ 3852

23 6560 ◯ 6559

24 8726 ◯ 8728

25 4513 ◯ 4207

26 1798 ◯ 3524

실력 up

27 어머니 생신 선물을 사기 위해 준수는 7560원을 모았고, 선아는 7450원을 모았습니다. 준수와 선아 중 누가 돈을 더 적게 모았을까요?

7560 ◯ 7450

답

적용 1. 네 자리 수

∷ 모두 얼마인지 쓰세요.

1

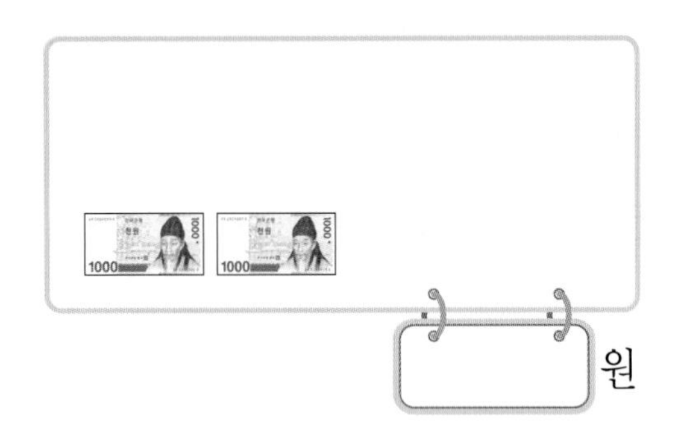

( )원

2

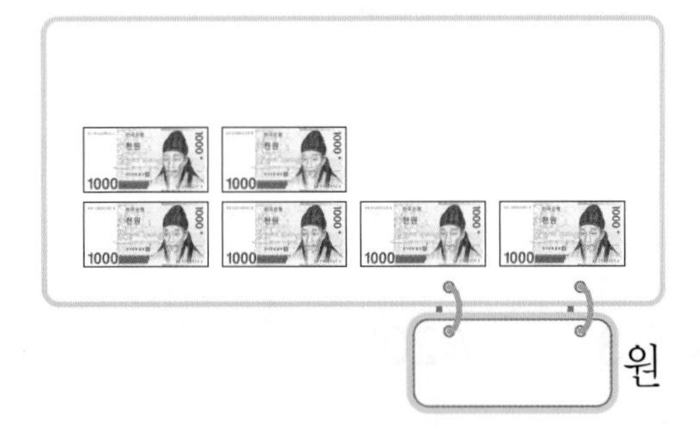

( )원

3

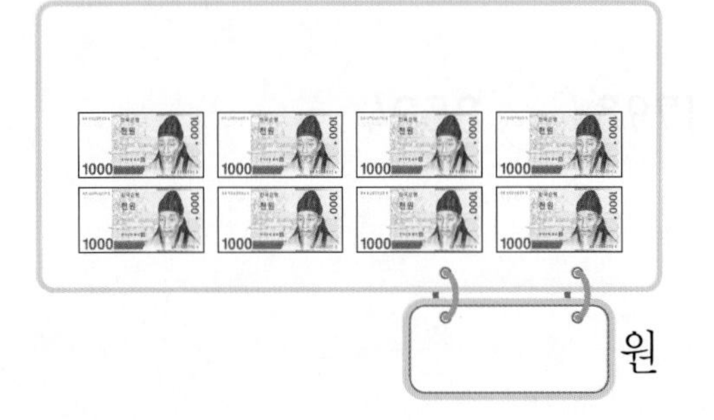

( )원

4

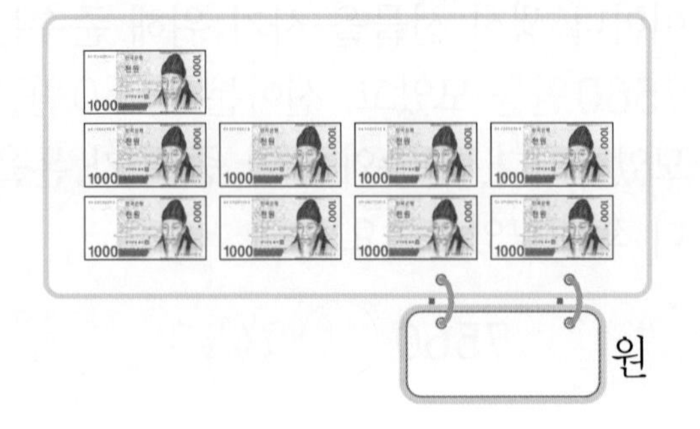

( )원

∷ 나타내는 수를 쓰고, 읽어 보세요.

5

1000이 5개, 100이 2개, 10이 7개, 1이 3개인 수

쓰기 ( )

읽기 ( )

6

1000이 8개, 100이 1개, 10이 4개, 1이 6개인 수

쓰기 ( )

읽기 ( )

7

1000이 2개, 100이 6개, 10이 5개, 1이 4개인 수

쓰기 ( )

읽기 ( )

8

1000이 7개, 100이 3개, 10이 2개, 1이 9개인 수

쓰기 ( )

읽기 ( )

빈칸에 알맞은 수를 써넣으세요.

9

2564

1만큼 더 큰 수	10만큼 더 큰 수	100만큼 더 큰 수

10

5319

10만큼 더 큰 수	100만큼 더 큰 수	1000만큼 더 큰 수

11

8247

1만큼 더 큰 수	100만큼 더 큰 수	1000만큼 더 큰 수

12

6053

1만큼 더 큰 수	10만큼 더 큰 수	1000만큼 더 큰 수

13

4971

10만큼 더 큰 수	100만큼 더 큰 수	1000만큼 더 큰 수

두 수의 크기를 비교하여 더 큰 수에 ○표 하세요.

14

4903 7126

15

2867

2854

16

5137

5642

17

3469

1887

18

9258

9256

19

8465

8643

평가 1. 네 자리 수

□ 안에 알맞은 수를 써넣으세요.

1

➡ 나타내는 수: □

2

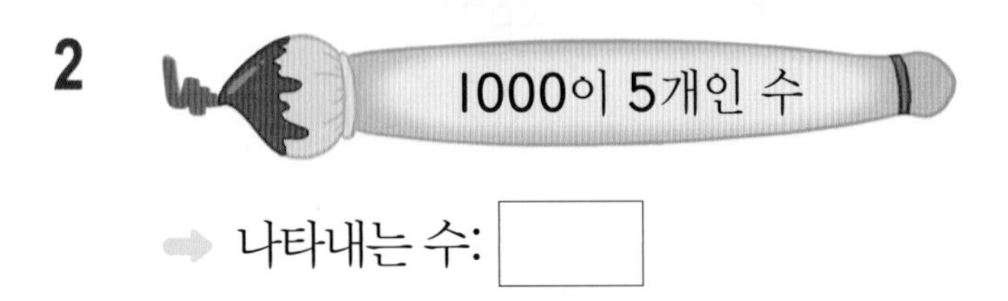

➡ 나타내는 수: □

3

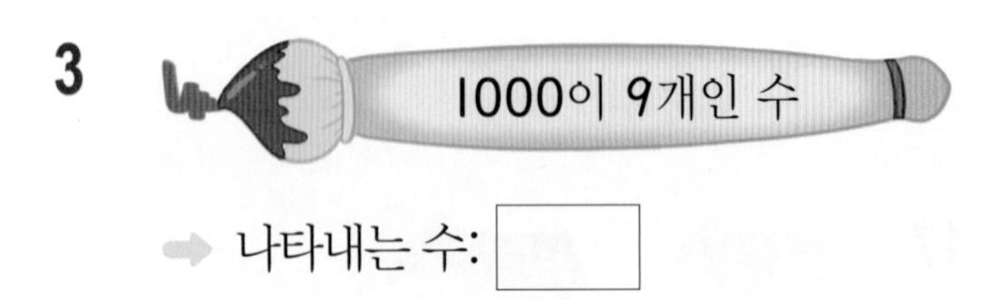

➡ 나타내는 수: □

빈 곳에 알맞은 수나 말을 써넣으세요.

4

5

빈 곳에 알맞은 수를 써넣으세요.

6

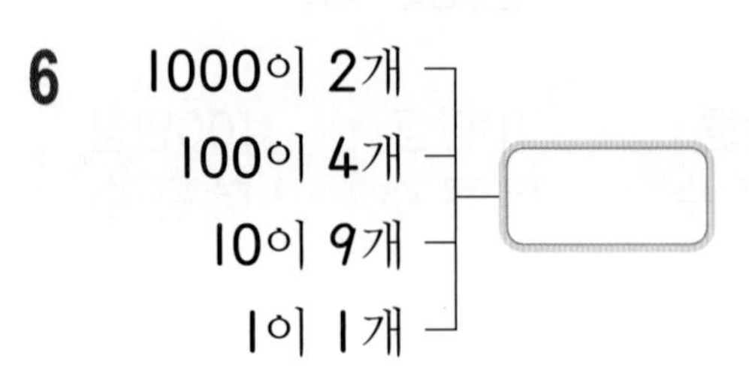

7

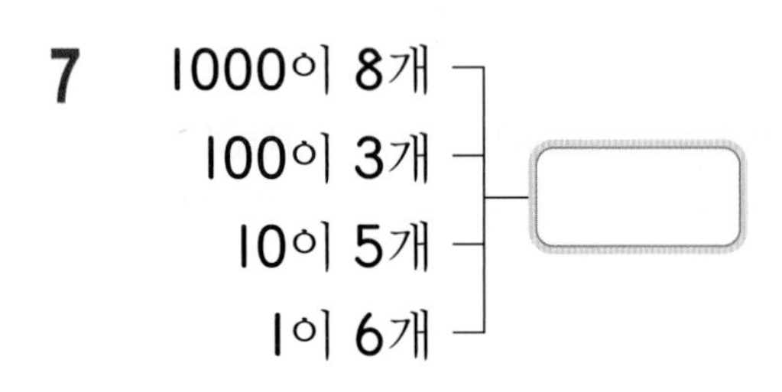

8

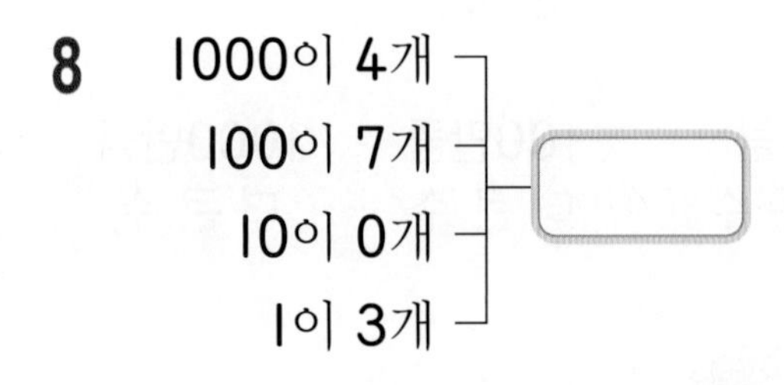

빈 곳에 알맞은 수나 말을 써넣으세요.

9

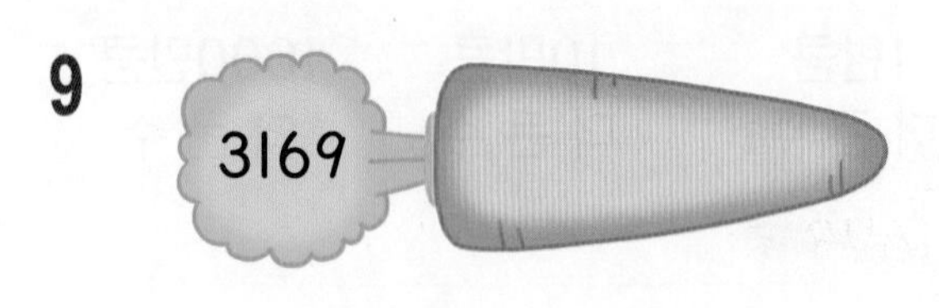

10

□ 안에 알맞은 수를 써넣으세요.

11

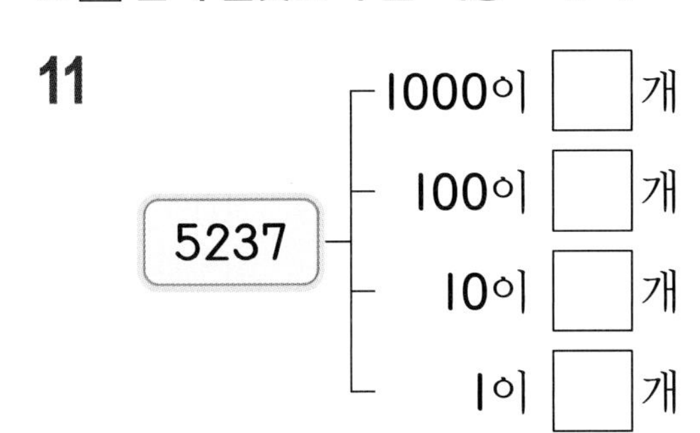

12

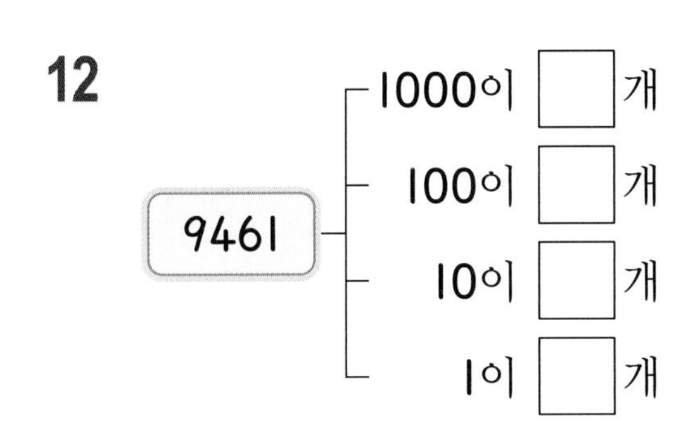

밑줄 친 숫자가 나타내는 값을 쓰세요.

13

14

15

뛰어서 센 것입니다. 몇씩 뛰어서 세었는지 □ 안에 알맞은 수를 써넣으세요.

16

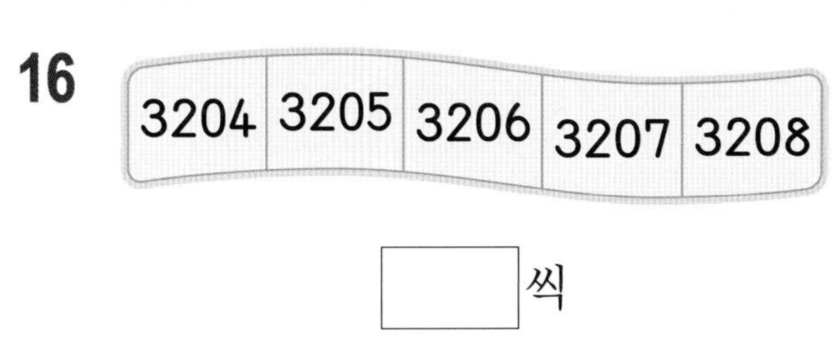

17

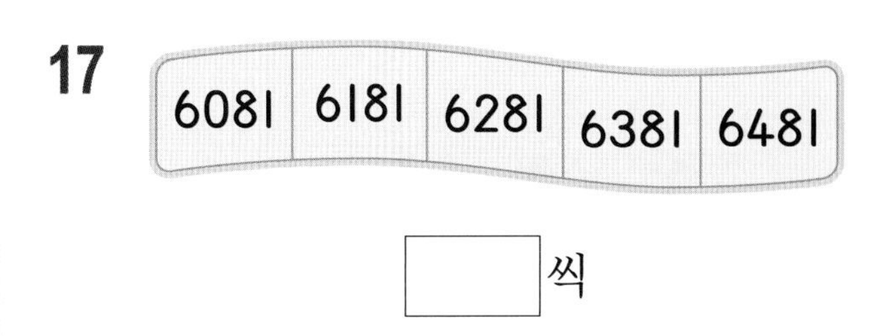

뛰어서 센 것입니다. □ 안에 알맞은 수를 써넣으세요.

18

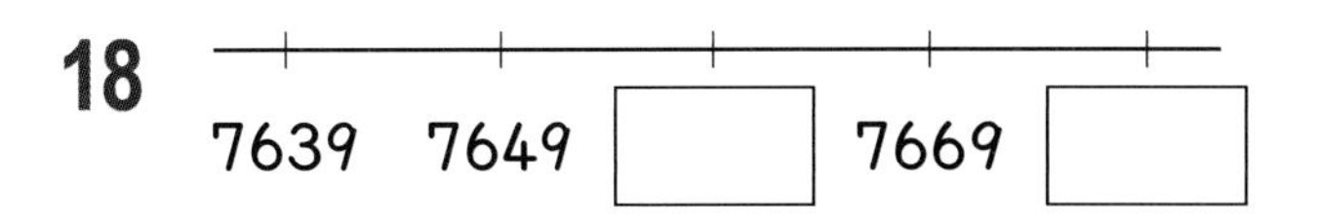

19

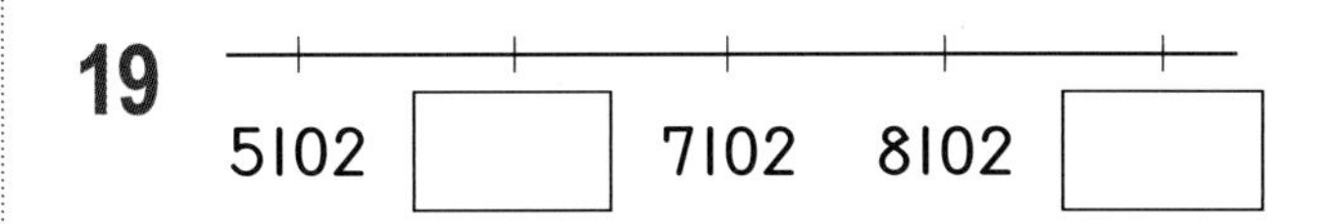

두 수의 크기를 비교하여 ○ 안에 > 또는 <를 알맞게 써넣으세요.

20 9352 ○ 9417

21 4003 ○ 2869

22 1586 ○ 1589

모두 얼마인지 쓰세요.

23

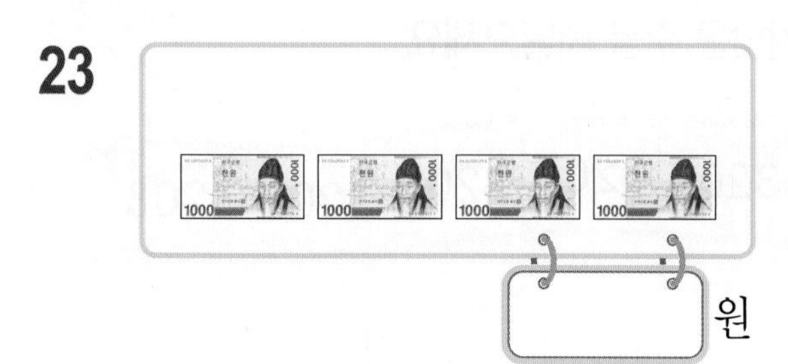

(　　　　) 원

24

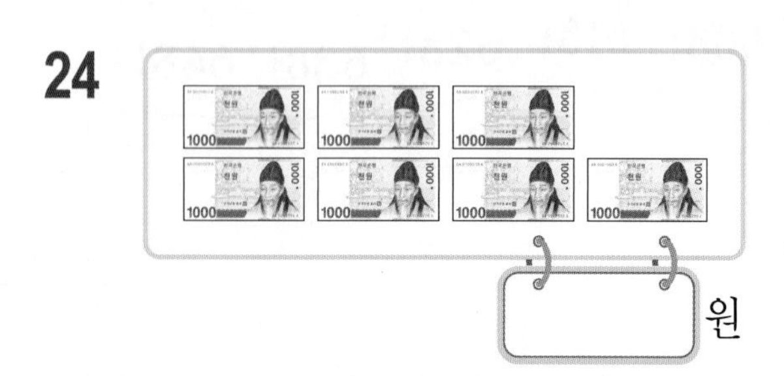

(　　　　) 원

나타내는 수를 쓰고, 읽어 보세요.

25

1000이 6개, 100이 5개, 10이 3개, 1이 4개인 수

쓰기 (　　　　　　　　　　)

읽기 (　　　　　　　　　　)

26

1000이 2개, 100이 7개, 10이 1개, 1이 9개인 수

쓰기 (　　　　　　　　　　)

읽기 (　　　　　　　　　　)

빈칸에 알맞은 수를 써넣으세요.

27

5124

1만큼 더 큰 수	10만큼 더 큰 수	100만큼 더 큰 수

28

1369

10만큼 더 큰 수	100만큼 더 큰 수	1000만큼 더 큰 수

29

4823

1만큼 더 큰 수	10만큼 더 큰 수	1000만큼 더 큰 수

두 수의 크기를 비교하여 더 큰 수에 ○표 하세요.

30

31

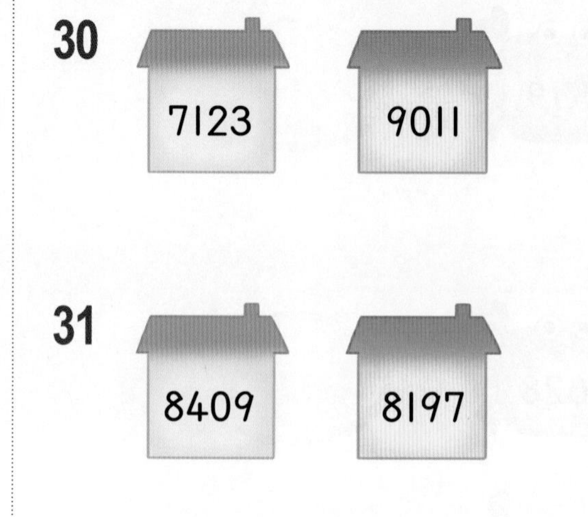

2 곱셈구구

학습 계획표

학습 내용	원리	연습	적용
❶ 2의 단 곱셈구구	Day **13**	Day **14**	Day **15**
❷ 3의 단 곱셈구구	Day **16**	Day **17**	Day **18**
❸ 4의 단 곱셈구구	Day **19**	Day **20**	Day **21**
❹ 5의 단 곱셈구구	Day **22**	Day **23**	Day **24**
❺ 6의 단 곱셈구구	Day **25**	Day **26**	Day **27**
❻ 7의 단 곱셈구구	Day **28**	Day **29**	Day **30**
❼ 8의 단 곱셈구구	Day **31**	Day **32**	Day **33**
❽ 9의 단 곱셈구구	Day **34**	Day **35**	Day **36**
❾ 1의 단 곱셈구구 / 0과 어떤 수의 곱	Day **37**	Day **38**	Day **39**
평가		Day **40**	

학습 관리 **tip** 맨 앞장의 학습 플래너를 이용하여 학습 스케줄을 관리하도록 하세요!

원리 ❶ 2의 단 곱셈구구

○ 2의 단 곱셈구구

- 2씩 ■묶음 ➡ 2+2+……+2 (■번) ➡ 2×■
- 2의 ■배 ➡ 2×■

×	1	2	3	4	5	6	7	8	9
2	2	4	6	8	10	12	14	16	18

+2 +2 +2 +2 +2 +2 +2 +2

예 2×3의 계산

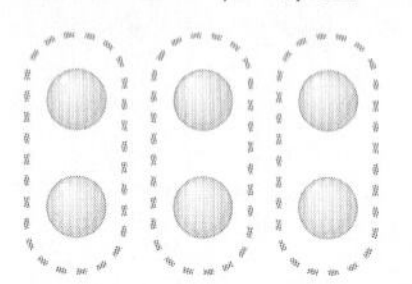

2씩 3묶음 ➡ 2의 3배
➡ 2+2+2=6
➡ 2×3=6

뿡뿡이

2의 단 곱셈구구에서 곱하는 수가 1씩 커지면 곱은 2씩 커져.

:: □ 안에 알맞은 수를 써넣으세요.

1 2 ➡ 2×1=□

2 2+2=□ ➡ 2×2=□

3 2+2+2=□ ➡ 2×3=□

4 2+2+2+2=□ ➡ 2×4=□

5 2+2+2+2+2=□ ➡ 2×5=□

6 2+2+2+2+2+2=□ ➡ 2×6=□

7 2+2+2+2+2+2+2=□ ➡ 2×7=□

8 2+2+2+2+2+2+2+2=□ ➡ 2×8=□

9 2+2+2+2+2+2+2+2+2=□ ➡ 2×9=□

덧셈을 곱셈식으로 나타내어 보세요.

10 $2+2+2+2=2\times\square=\square$

11 $2+2+2+2+2+2+2=2\times\square=\square$

12 $2+2+2=2\times\square=\square$

13 $2+2+2+2+2=2\times\square=\square$

14 $2+2+2+2+2+2+2+2+2=2\times\square=\square$

15 $2+2+2+2+2+2=2\times\square=\square$

곱셈을 덧셈식으로 나타내어 보세요.

16 $2\times8=2+2+2+2+2+2+\square+\square=\square$

17 $2\times2=2+\square=\square$

18 $2\times7=2+2+2+2+2+\square+\square=\square$

19 $2\times5=2+2+2+\square+\square=\square$

20 $2\times4=2+2+\square+\square=\square$

21 $2\times3=2+\square+\square=\square$

❶ 2의 단 곱셈구구

∷ 수직선을 보고 □ 안에 알맞은 수를 써넣으세요.

1

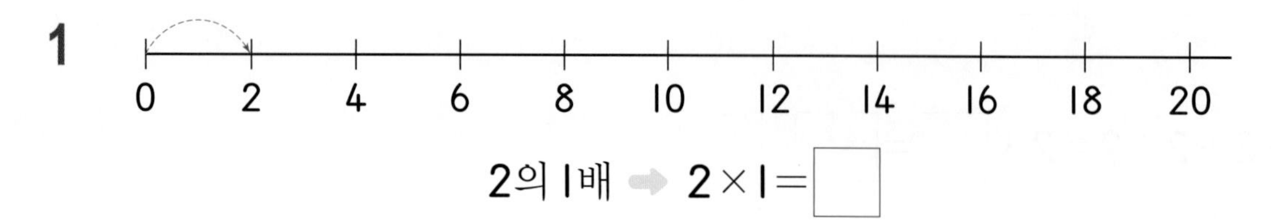

2의 1배 ➡ $2 \times 1 = \square$

2

2의 2배 ➡ $2 \times 2 = \square$

3

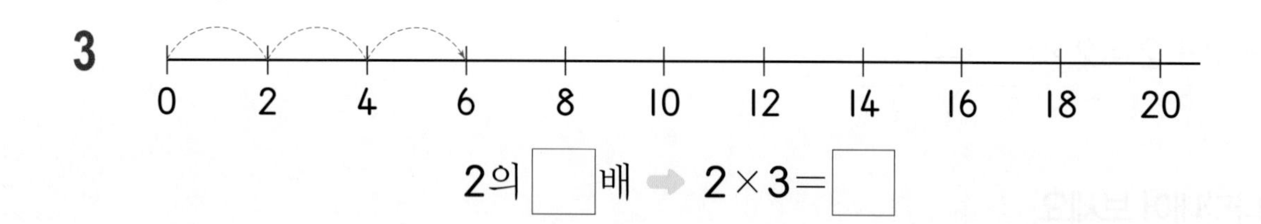

2의 □배 ➡ $2 \times 3 = \square$

4

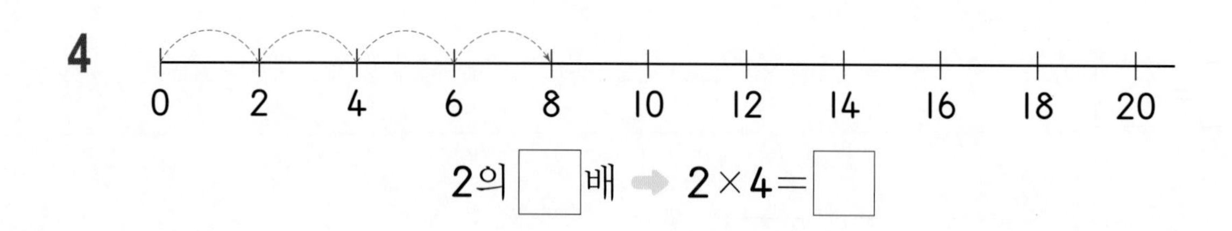

2의 □배 ➡ $2 \times 4 = \square$

5

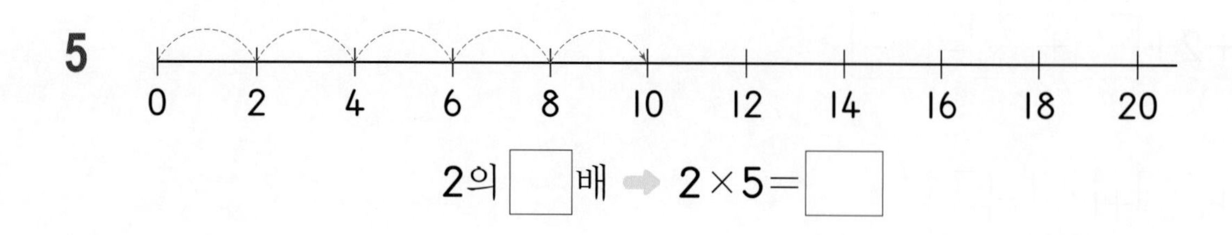

2의 □배 ➡ $2 \times 5 = \square$

6

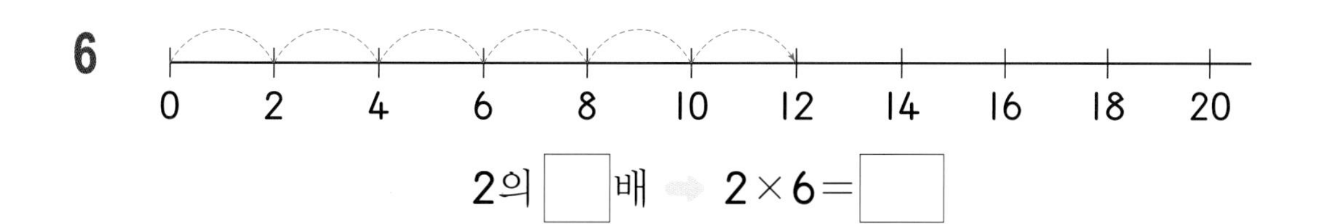

2의 □배 ➡ 2×6=□

7

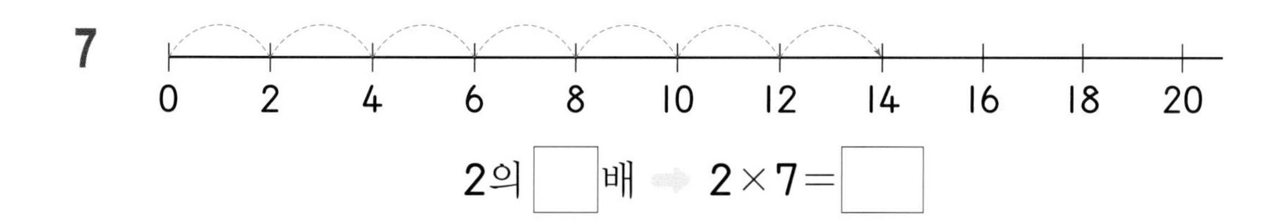

2의 □배 ➡ 2×7=□

8

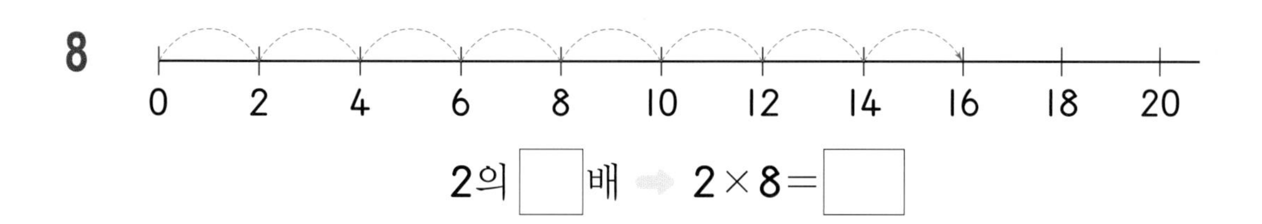

2의 □배 ➡ 2×8=□

9

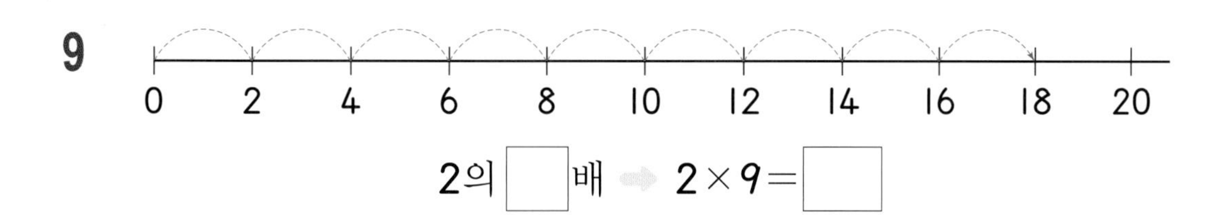

2의 □배 ➡ 2×9=□

실력 up

10 자전거 보관대에 두발자전거가 7대 있습니다. 두발자전거의 바퀴는 모두 몇 개일까요?

2개씩 7대 ➡ 2×7=□

답 ______

적용

❶ 2의 단 곱셈구구

빈 곳에 알맞은 수를 써넣으세요.

1

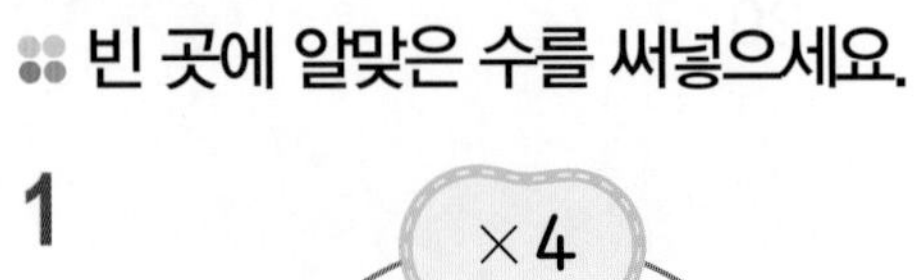

2

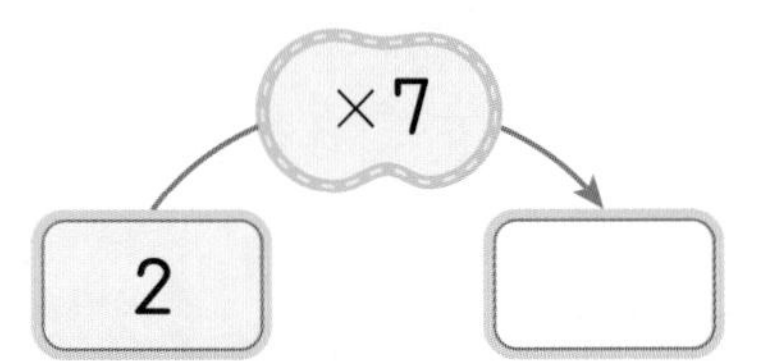

3

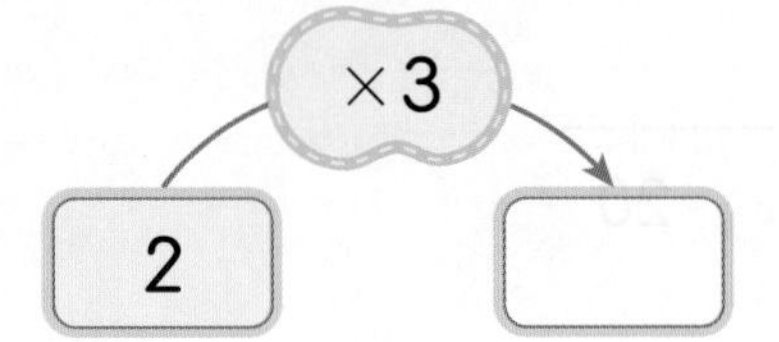

4

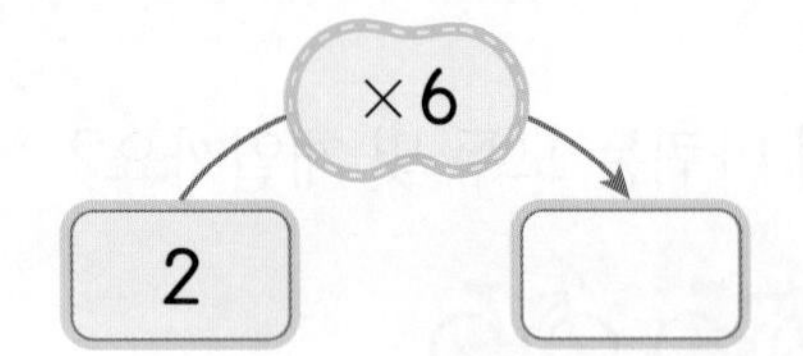

5

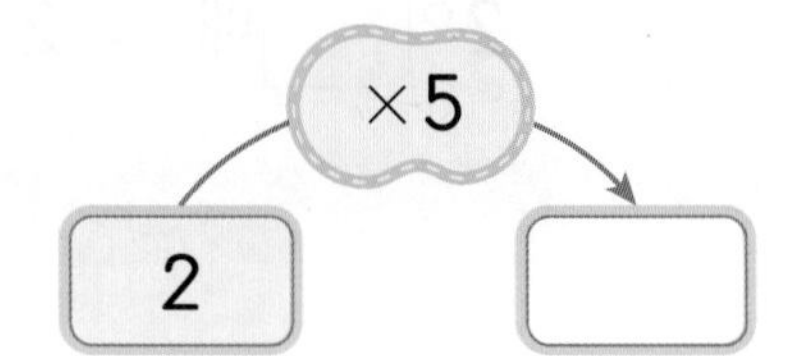

6

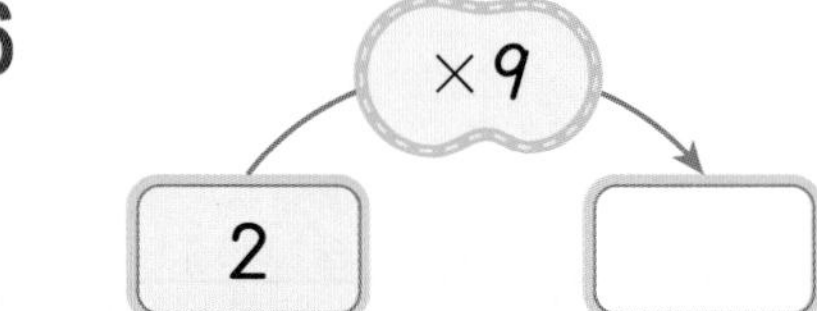

7

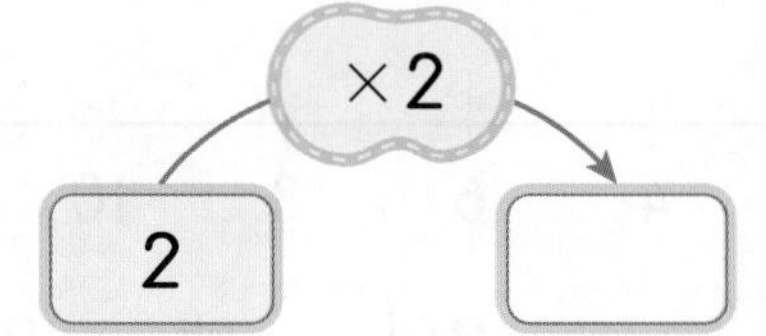

8

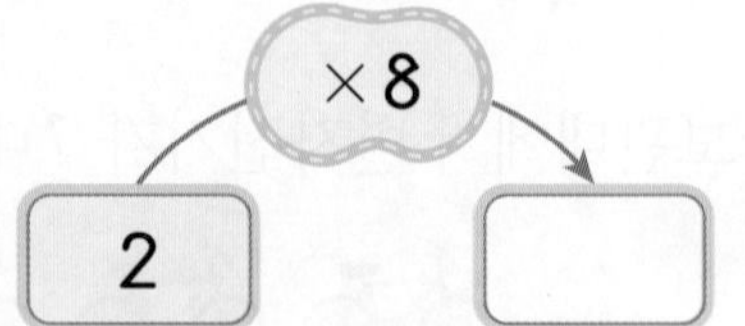

월 일	분	개
학습 날짜	학습 시간	맞힌 개수

곱셈표를 완성하세요.

9

×	2	5	1	3	8	6	9	7	4
2	4	10							

10

×	5	4	6	9	3	2	7	1	8
2		8			6				

11

×	4	5	3	7	9	1	8	2	6
2					18			4	

12

×	8	2	5	6	1	9	3	4	7
2			10						14

13

×	7	1	3	4	5	6	8	9	2
2		2				12			

❷ 3의 단 곱셈구구

○ 3의 단 곱셈구구

• 3씩 ■묶음 ➡ 3+3+……+3 (■번) ➡ 3×■

• 3의 ■배 ➡ 3×■

×	1	2	3	4	5	6	7	8	9
3	3	6	9	12	15	18	21	24	27

+3 +3 +3 +3 +3 +3 +3 +3

예 3×4의 계산

3씩 4묶음 ➡ 3의 4배
➡ 3+3+3+3=12
➡ 3×4=12

뿡뿡이: 3의 단 곱셈구구에서 곱하는 수가 1씩 커지면 곱은 3씩 커져.

:: □ 안에 알맞은 수를 써넣으세요.

1 3 ➡ 3×1=□

2 3+3=□ ➡ 3×2=□

3 3+3+3=□ ➡ 3×3=□

4 3+3+3+3=□ ➡ 3×4=□

5 3+3+3+3+3=□ ➡ 3×5=□

6 3+3+3+3+3+3=□ ➡ 3×6=□

7 3+3+3+3+3+3+3=□ ➡ 3×7=□

8 3+3+3+3+3+3+3+3=□ ➡ 3×8=□

9 3+3+3+3+3+3+3+3+3=□ ➡ 3×9=□

덧셈을 곱셈식으로 나타내어 보세요.

10 $3+3+3+3+3=3\times\square=\square$

11 $3+3+3=3\times\square=\square$

12 $3+3+3+3+3+3=3\times\square=\square$

13 $3+3+3+3+3+3+3+3+3=3\times\square=\square$

14 $3+3+3+3+3+3+3=3\times\square=\square$

15 $3+3=3\times\square=\square$

곱셈을 덧셈식으로 나타내어 보세요.

16 $3\times4=3+3+\square+\square=\square$

17 $3\times8=3+3+3+3+3+3+\square+\square=\square$

18 $3\times5=3+3+3+\square+\square=\square$

19 $3\times6=3+3+3+3+\square+\square=\square$

20 $3\times7=3+3+3+3+3+\square+\square=\square$

21 $3\times3=3+\square+\square=\square$

❷ 3의 단 곱셈구구

:: 수직선을 보고 □ 안에 알맞은 수를 써넣으세요.

1

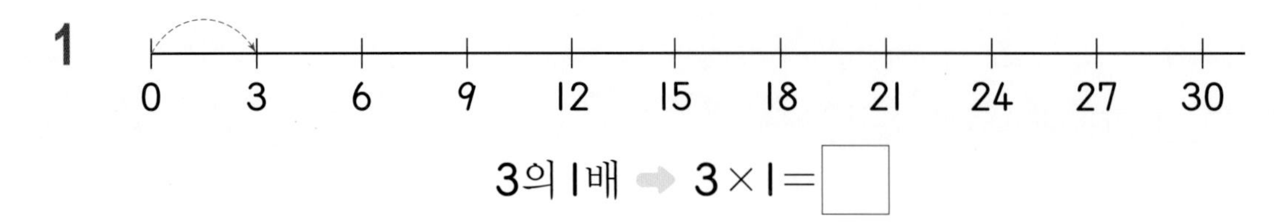

3의 1배 ➡ 3×1=□

2

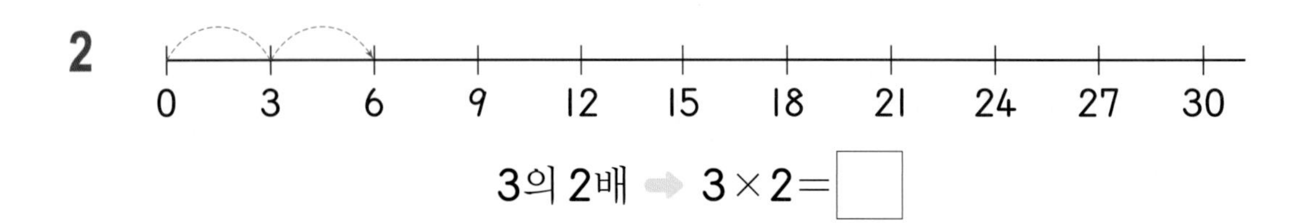

3의 2배 ➡ 3×2=□

3

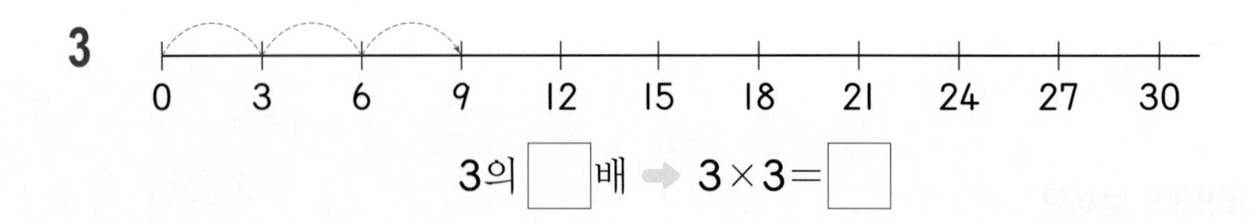

3의 □배 ➡ 3×3=□

4

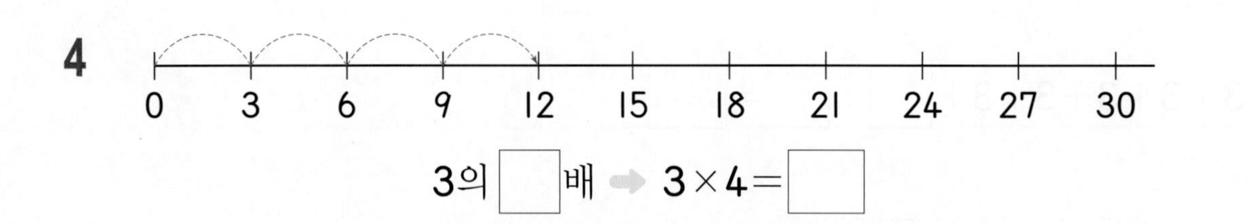

3의 □배 ➡ 3×4=□

5

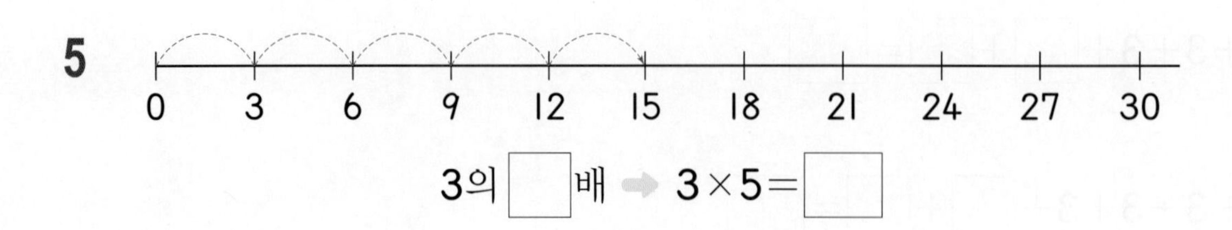

3의 □배 ➡ 3×5=□

6

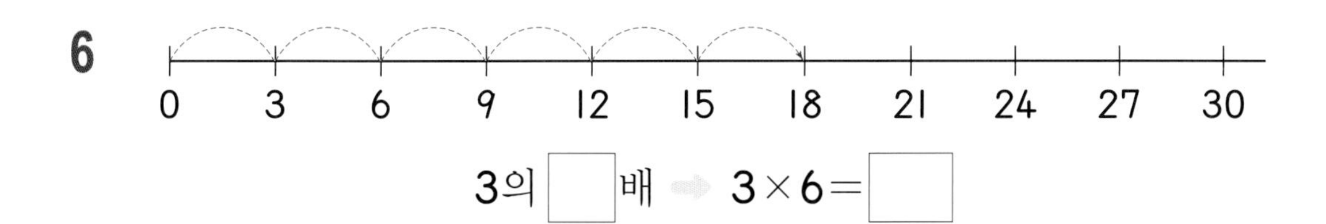

3의 ☐ 배 ➡ 3×6=☐

7

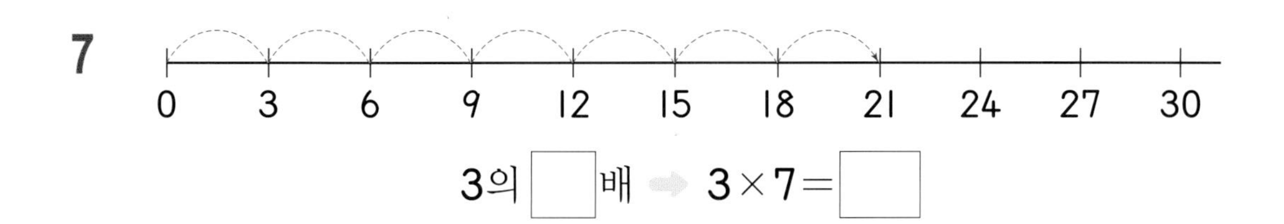

3의 ☐ 배 ➡ 3×7=☐

8

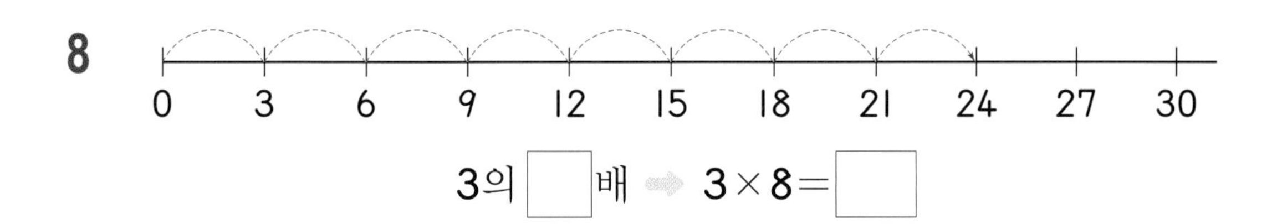

3의 ☐ 배 ➡ 3×8=☐

9

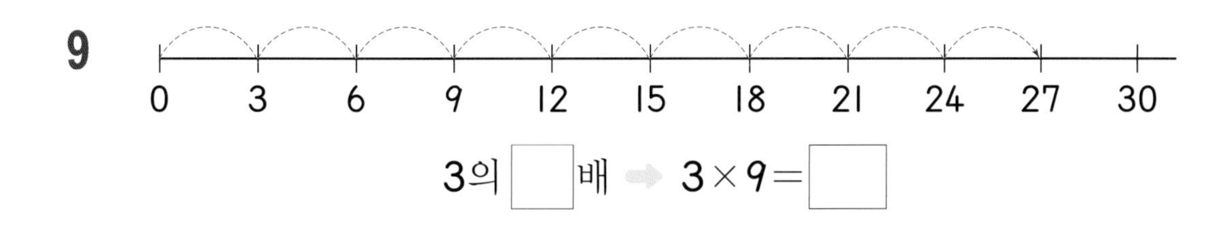

3의 ☐ 배 ➡ 3×9=☐

실력 up

10 꽃병 한 개에 꽃이 3송이씩 꽂혀 있습니다. 꽃병 6개에 꽂혀 있는 꽃은 모두 몇 송이일까요?

3송이씩 6개 ➡ 3×6=☐

답

❷ 3의 단 곱셈구구

□ 안에 알맞은 수를 써넣으세요.

1

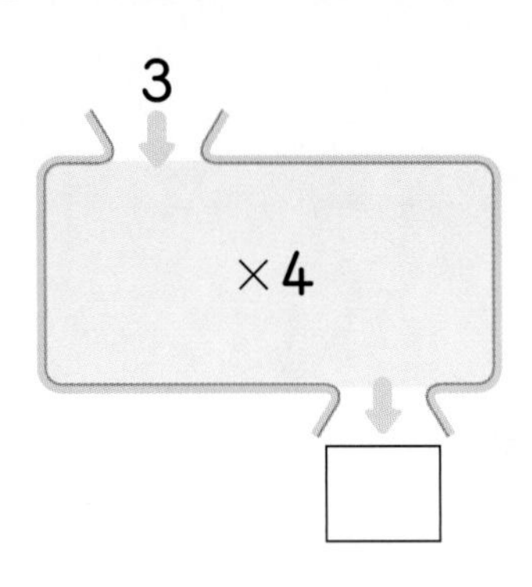

2

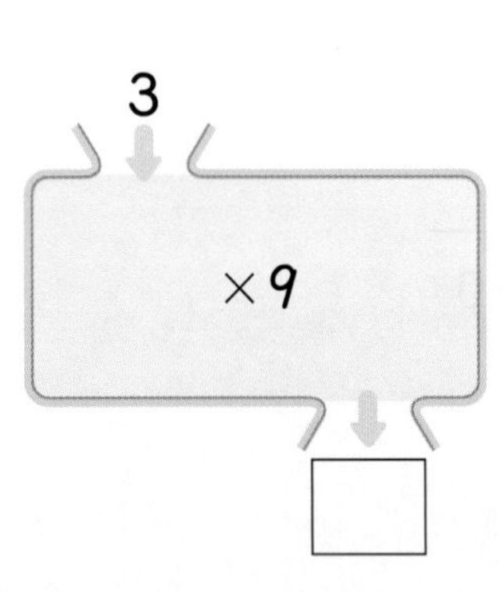

3

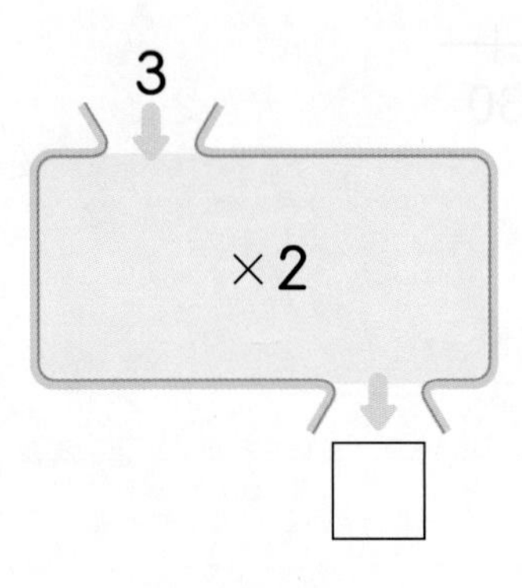

4

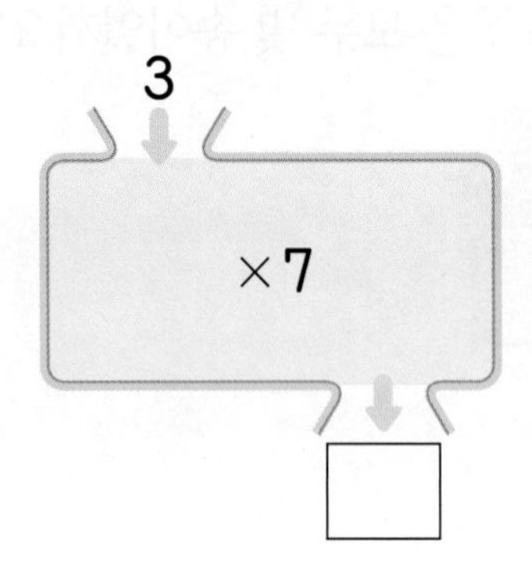

5

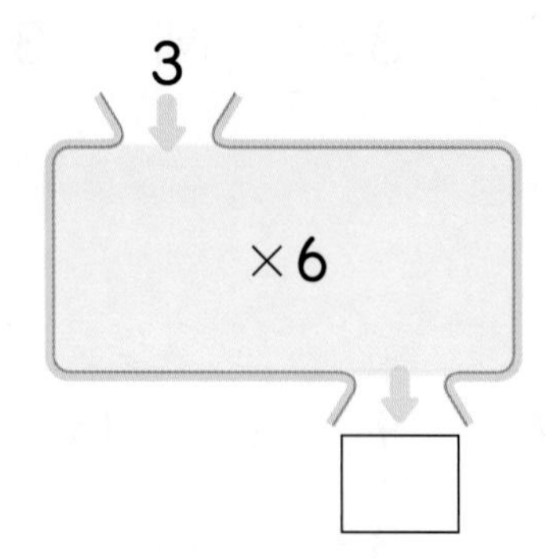

6

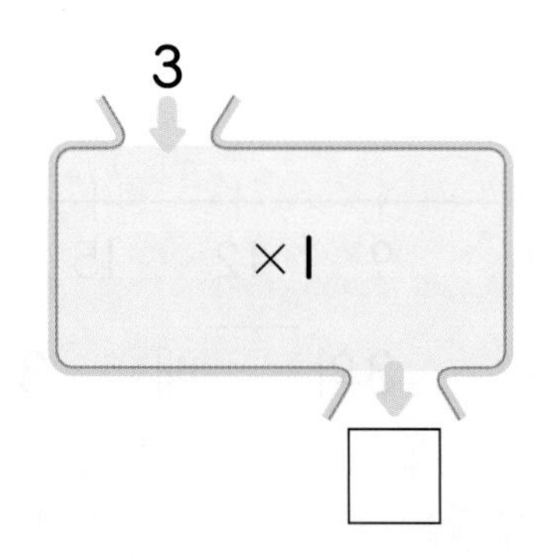

7

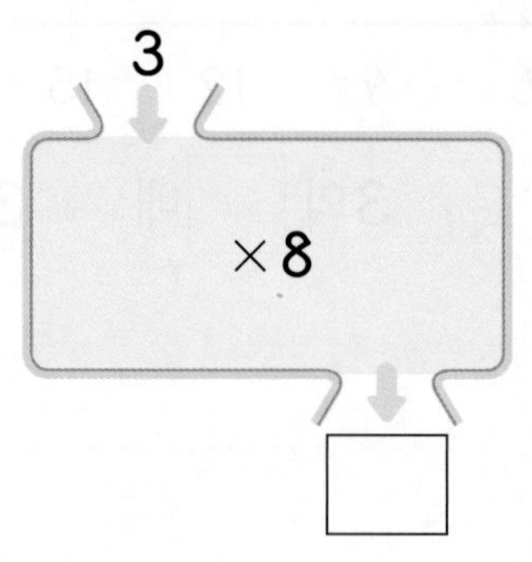

8

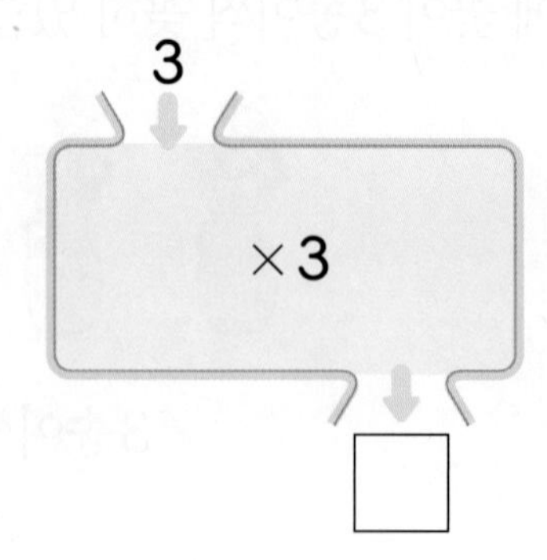

곱셈표를 완성하세요.

9

×	2	4	6	9	7	5	3	1	8
3		12				15			

10

×	6	5	3	7	1	8	2	9	4
3				21					12

11

×	7	2	5	3	8	6	4	1	9
3	21				24				

12

×	2	3	7	9	5	4	1	8	6
3			21					24	

13

×	1	9	4	7	3	2	8	6	5
3		27					24		

원리

❸ 4의 단 곱셈구구

원리 동영상 강의

4의 단 곱셈구구

- 4씩 ■묶음 ➡ 4+4+……+4 (■번) ➡ 4×■
- 4의 ■배 ➡ 4×■

×	1	2	3	4	5	6	7	8	9
4	4	8	12	16	20	24	28	32	36

+4 +4 +4 +4 +4 +4 +4 +4

예 4×5의 계산

4씩 5묶음
➡ 4의 5배
➡ 4+4+4+4+4=20
➡ 4×5=20

뿡뿡이

4의 단 곱셈구구에서 곱하는 수가 1씩 커지면 곱은 4씩 커져.

□ 안에 알맞은 수를 써넣으세요.

1 4 ➡ 4×1=□

2 4+4=□ ➡ 4×2=□

3 4+4+4=□ ➡ 4×3=□

4 4+4+4+4=□ ➡ 4×4=□

5 4+4+4+4+4=□ ➡ 4×5=□

6 4+4+4+4+4+4=□ ➡ 4×6=□

7 4+4+4+4+4+4+4=□ ➡ 4×7=□

8 4+4+4+4+4+4+4+4=□ ➡ 4×8=□

9 4+4+4+4+4+4+4+4+4=□ ➡ 4×9=□

덧셈을 곱셈식으로 나타내어 보세요.

10 $4+4+4+4+4+4=4\times\square=\square$

11 $4+4+4=4\times\square=\square$

12 $4+4+4+4+4+4+4+4+4=4\times\square=\square$

13 $4+4+4+4+4+4+4=4\times\square=\square$

14 $4+4=4\times\square=\square$

15 $4+4+4+4+4=4\times\square=\square$

곱셈을 덧셈식으로 나타내어 보세요.

16 $4\times8=4+4+4+4+4+4+\square+\square=\square$

17 $4\times4=4+4+\square+\square=\square$

18 $4\times6=4+4+4+4+\square+\square=\square$

19 $4\times3=4+\square+\square=\square$

20 $4\times9=4+4+4+4+4+4+4+\square+\square=\square$

21 $4\times7=4+4+4+4+4+\square+\square=\square$

연습 ❸ 4의 단 곱셈구구

수직선을 보고 □ 안에 알맞은 수를 써넣으세요.

1

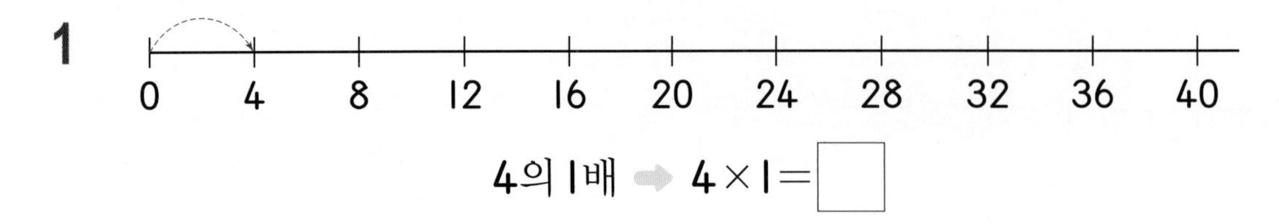

4의 1배 ➡ 4×1=□

2

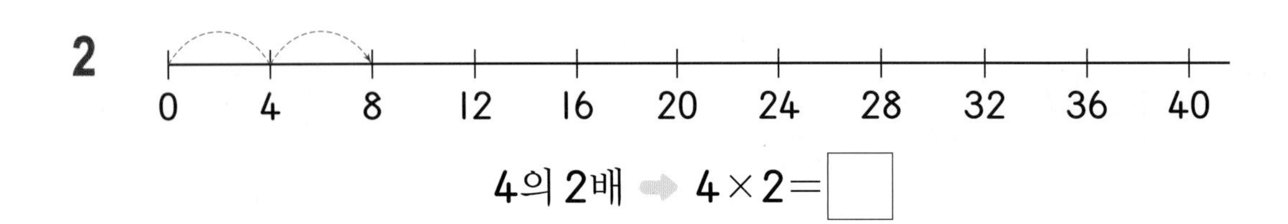

4의 2배 ➡ 4×2=□

3

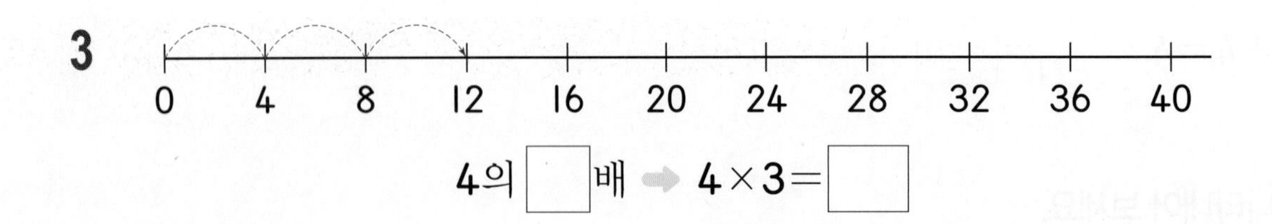

4의 □배 ➡ 4×3=□

4

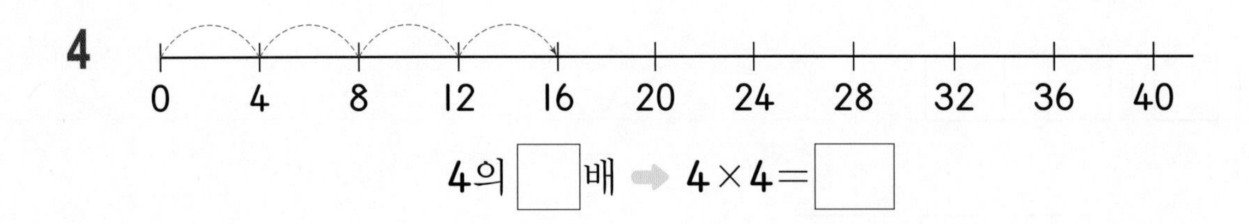

4의 □배 ➡ 4×4=□

5

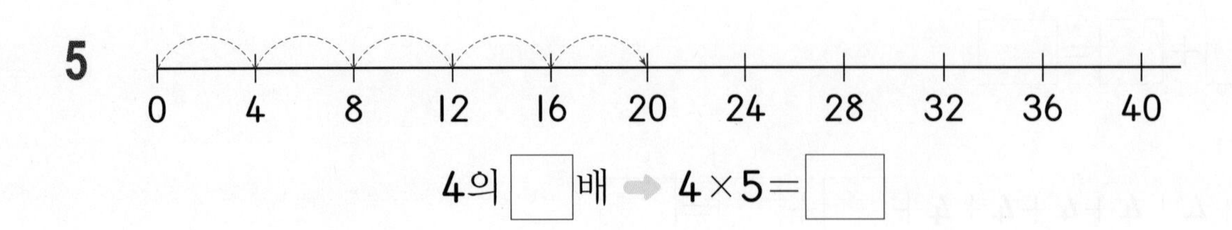

4의 □배 ➡ 4×5=□

6

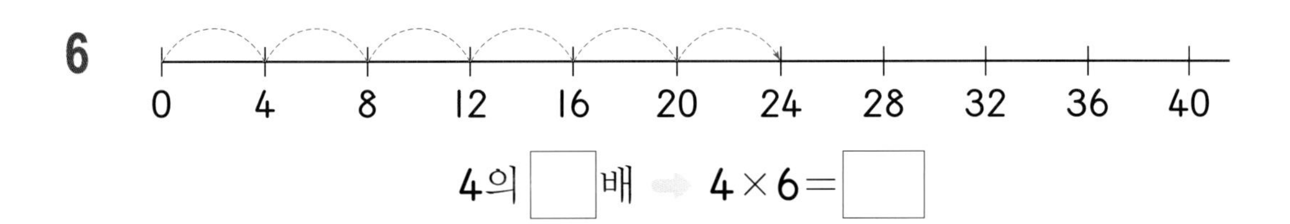

4의 ☐배 ➡ 4×6=☐

7

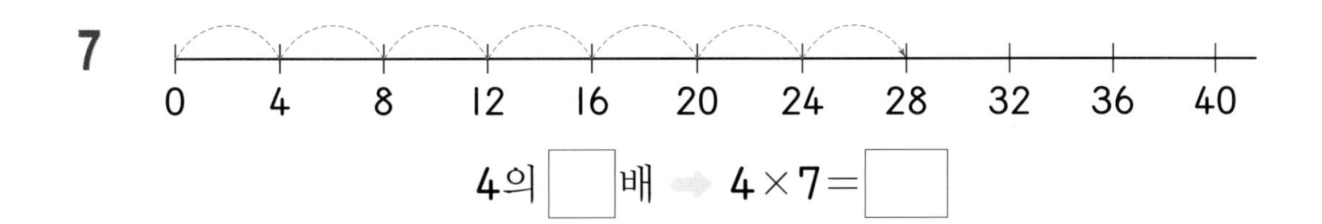

4의 ☐배 ➡ 4×7=☐

8

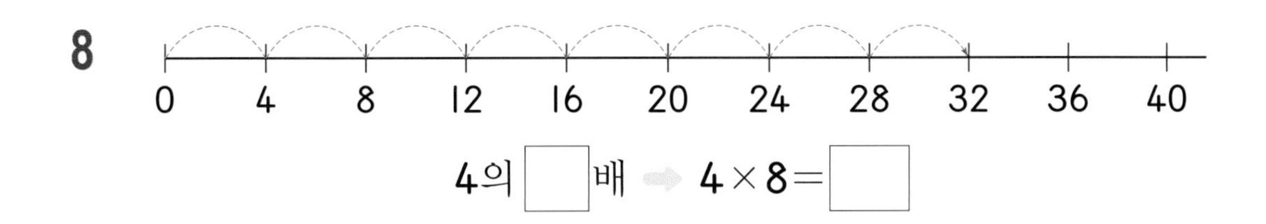

4의 ☐배 ➡ 4×8=☐

9

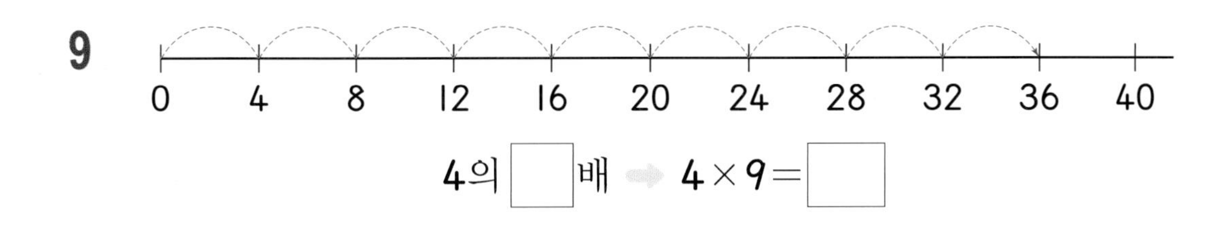

4의 ☐배 ➡ 4×9=☐

실력 up

10 잠자리 한 마리의 날개는 4장입니다. 잠자리 8마리의 날개는 모두 몇 장일까요?

4장씩 8마리 ➡ 4×8=☐

답 ____________

적용 ③ 4의 단 곱셈구구

빈 곳에 알맞은 수를 써넣으세요.

1
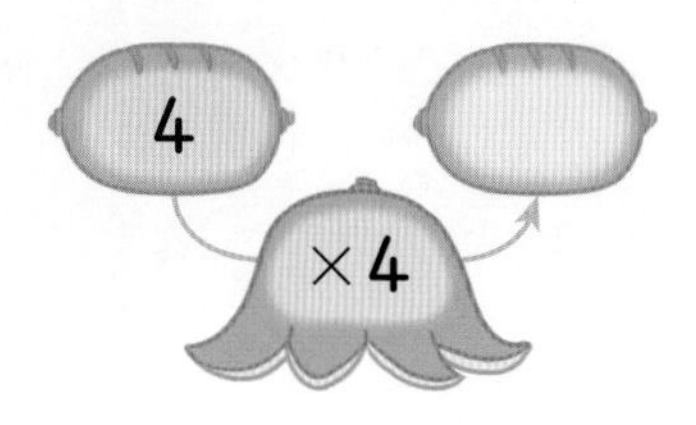

2
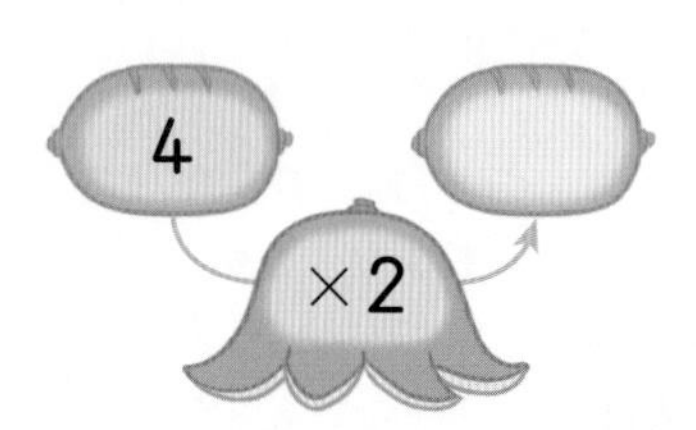

3
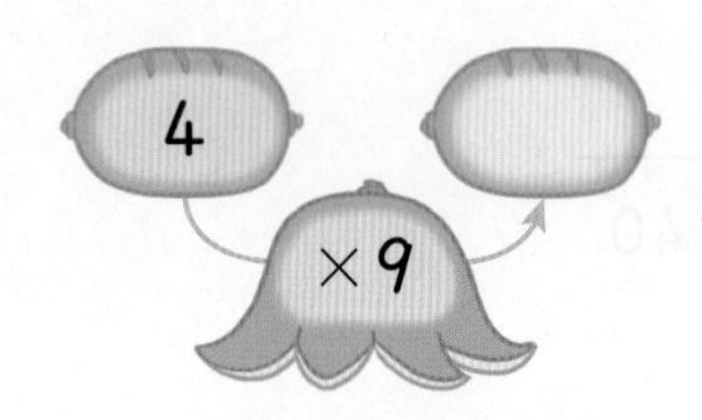

4
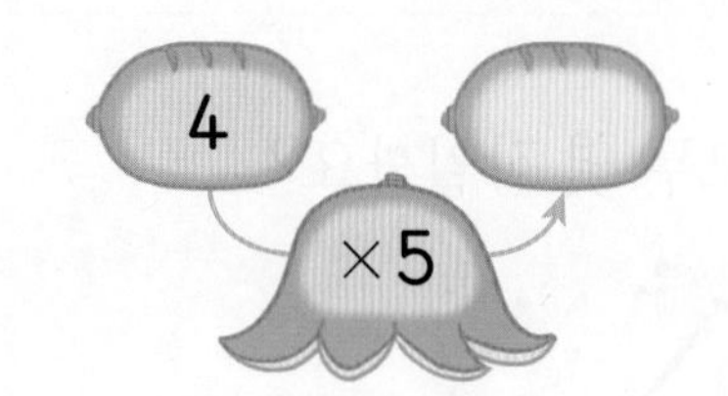

5
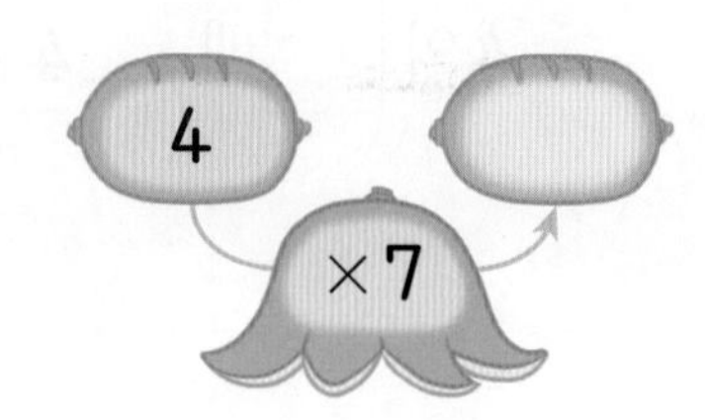

6
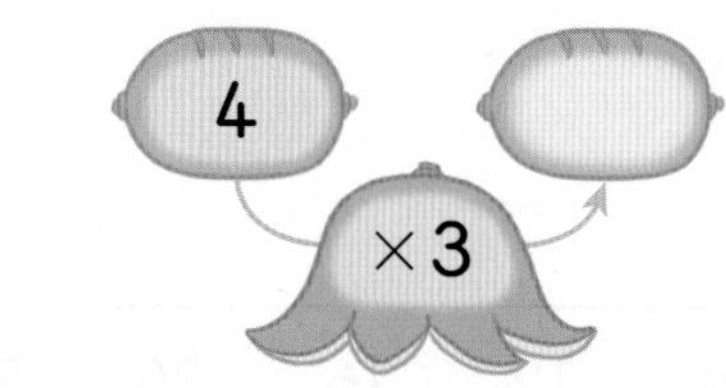

7
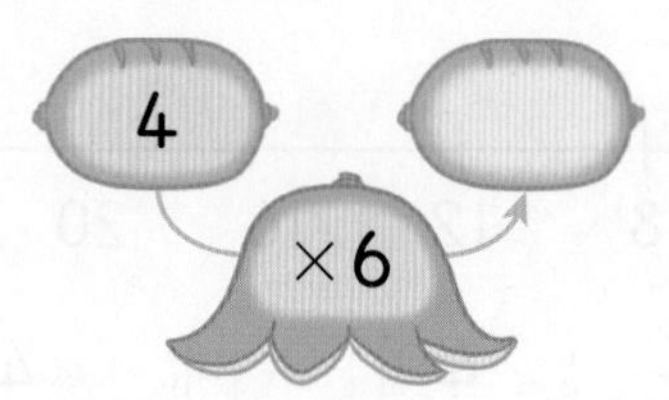

8
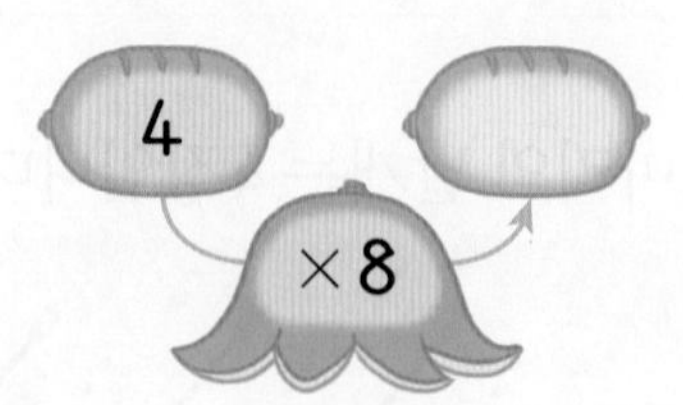

곱셈표를 완성하세요.

9

×	9	6	3	2	4	5	1	8	7
4			12						28

10

×	1	3	5	7	9	2	4	6	8
4	4				36				

11

×	2	4	9	6	8	5	3	7	1
4		16						28	

12

×	5	7	2	8	3	1	4	6	9
4				32	12				

13

×	3	4	8	7	6	5	1	9	2
4			32					36	

원리

④ 5의 단 곱셈구구

5의 단 곱셈구구

• 5씩 ■묶음 ➡ 5+5+……+5 (■번) ➡ 5×■

• 5의 ■배 ➡ 5×■

×	1	2	3	4	5	6	7	8	9
5	5	10	15	20	25	30	35	40	45

+5 +5 +5 +5 +5 +5 +5 +5

예 5×2의 계산

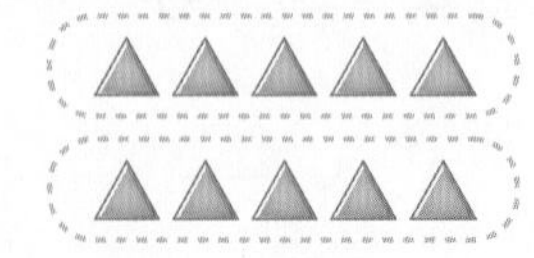

5씩 2묶음 ➡ 5의 2배
➡ 5+5=10
➡ 5×2=10

뿡뿡이: 5의 단 곱셈구구에서 곱하는 수가 1씩 커지면 곱은 5씩 커져.

□ 안에 알맞은 수를 써넣으세요.

1 5 ➡ 5×1=□

2 5+5=□ ➡ 5×2=□

3 5+5+5=□ ➡ 5×3=□

4 5+5+5+5=□ ➡ 5×4=□

5 5+5+5+5+5=□ ➡ 5×5=□

6 5+5+5+5+5+5=□ ➡ 5×6=□

7 5+5+5+5+5+5+5=□ ➡ 5×7=□

8 5+5+5+5+5+5+5+5=□ ➡ 5×8=□

9 5+5+5+5+5+5+5+5+5=□ ➡ 5×9=□

덧셈을 곱셈식으로 나타내어 보세요.

10 $5+5=5\times\square=\square$

11 $5+5+5+5=5\times\square=\square$

12 $5+5+5+5+5+5+5+5=5\times\square=\square$

13 $5+5+5=5\times\square=\square$

14 $5+5+5+5+5+5+5=5\times\square=\square$

15 $5+5+5+5+5+5=5\times\square=\square$

곱셈을 덧셈식으로 나타내어 보세요.

16 $5\times5=5+5+5+\square+\square=\square$

17 $5\times9=5+5+5+5+5+5+5+\square+\square=\square$

18 $5\times4=5+5+\square+\square=\square$

19 $5\times7=5+5+5+5+5+\square+\square=\square$

20 $5\times6=5+5+5+5+\square+\square=\square$

21 $5\times2=5+\square=\square$

연습 ④ 5의 단 곱셈구구

수직선을 보고 □ 안에 알맞은 수를 써넣으세요.

1

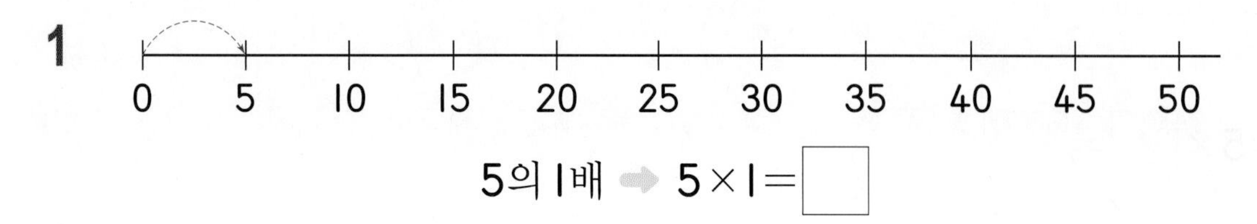

5의 1배 ➡ 5×1=□

2

5의 2배 ➡ 5×2=□

3

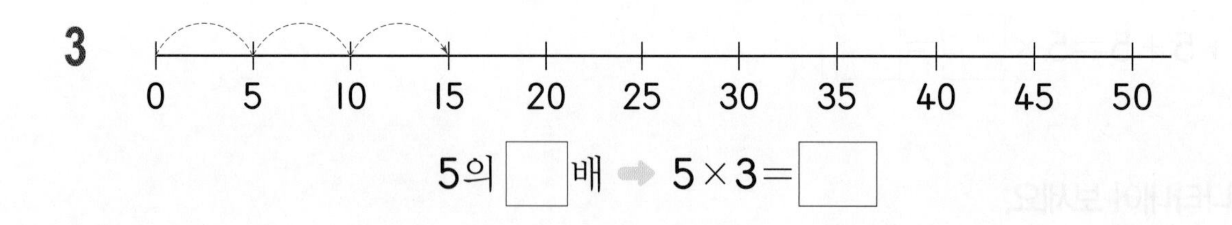

5의 □배 ➡ 5×3=□

4

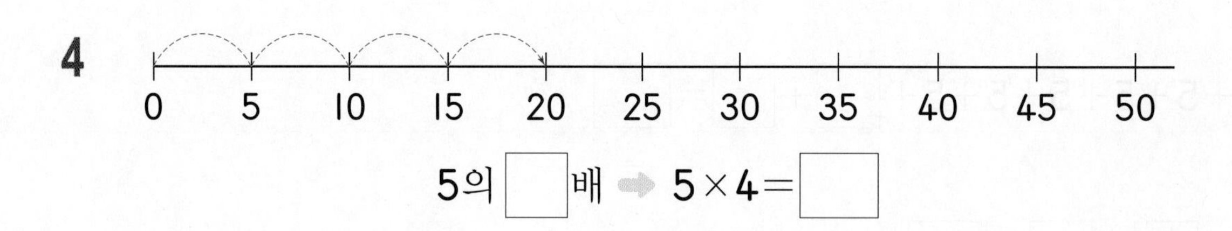

5의 □배 ➡ 5×4=□

5

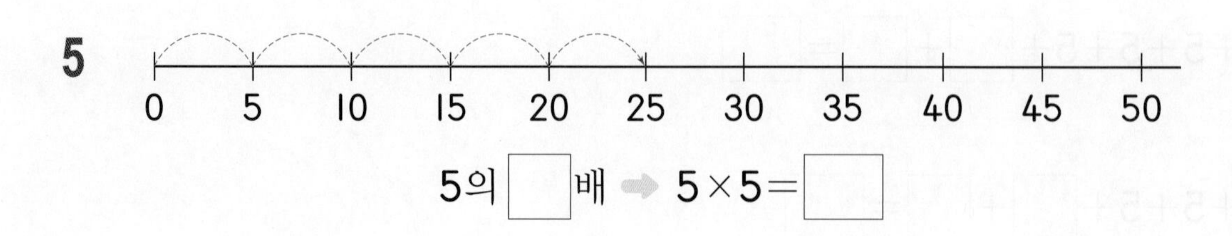

5의 □배 ➡ 5×5=□

6

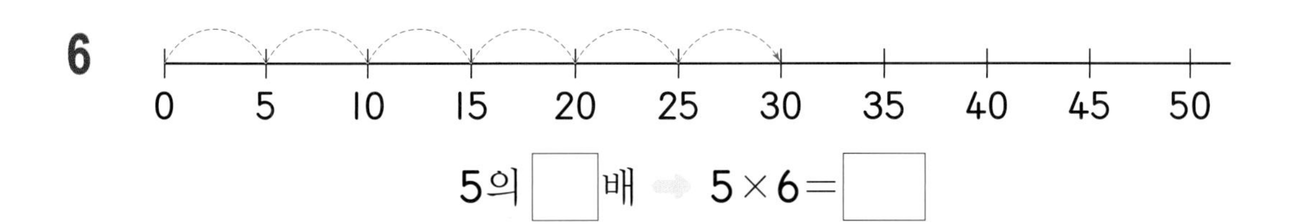

5의 □배 ➔ 5×6=□

7

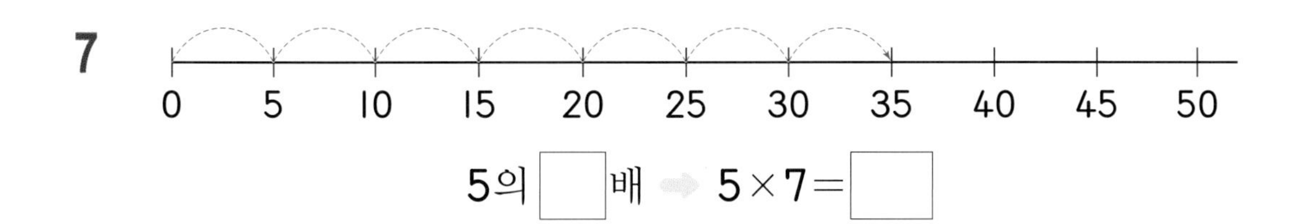

5의 □배 ➔ 5×7=□

8

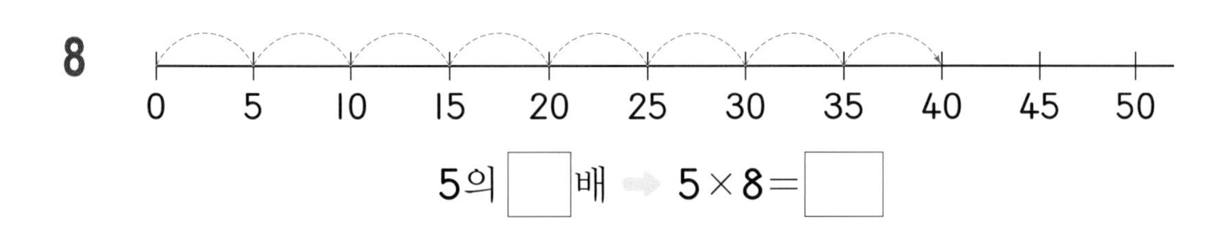

5의 □배 ➔ 5×8=□

9

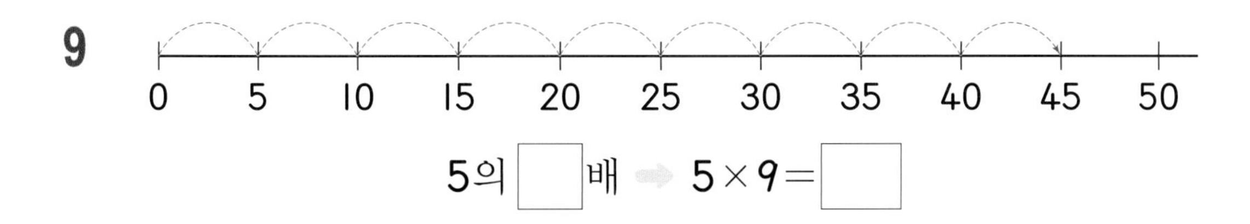

5의 □배 ➔ 5×9=□

실력 up

10 농구는 한 팀에 5명의 선수가 경기를 합니다. 2팀이 농구 경기를 한다면 선수는 모두 몇 명일까요?

5명씩 2팀 ➔ 5×2=□

답 ____________

■ 빈 곳에 알맞은 수를 써넣으세요.

1

×	→	
5	9	
5		

2

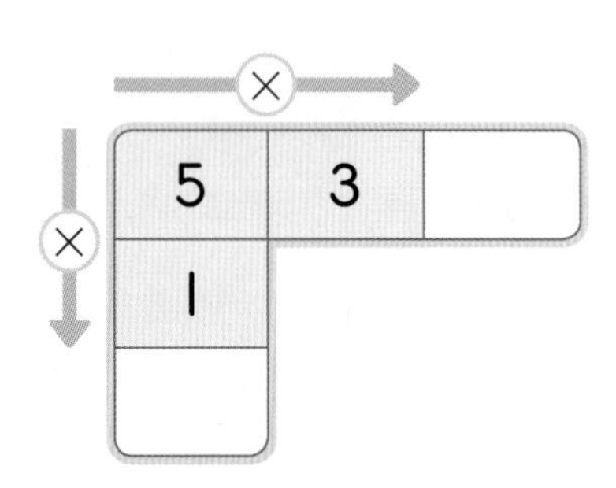

3

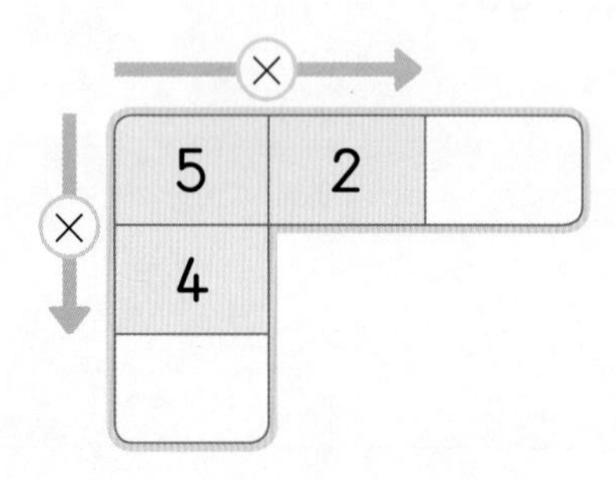

4

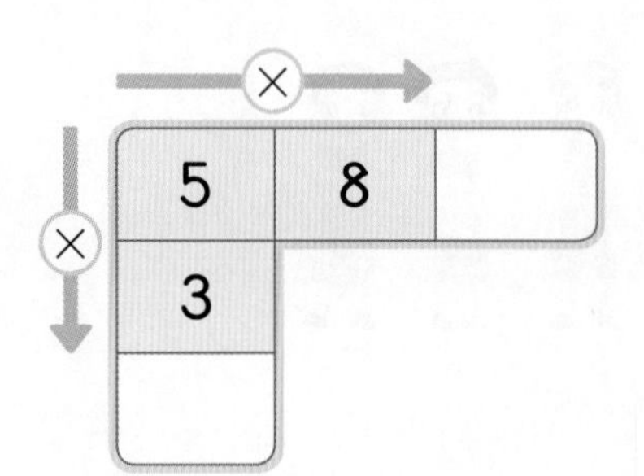

5

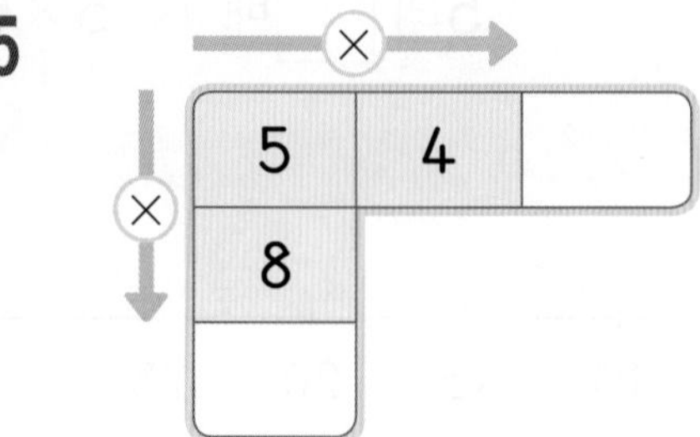

6

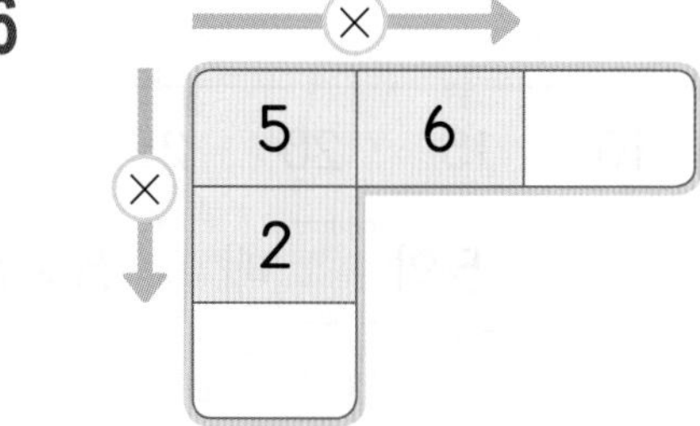

7

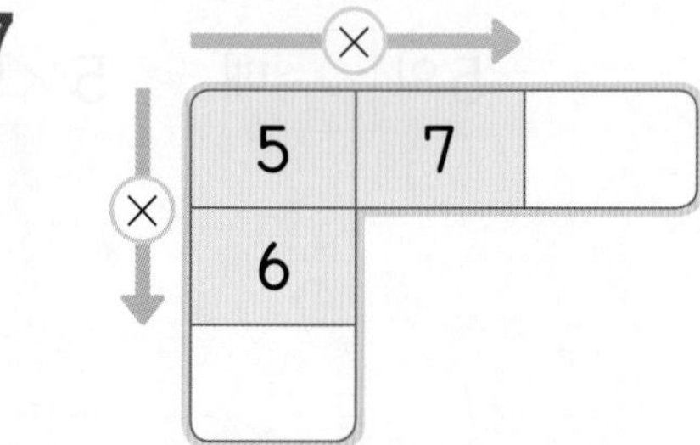

8

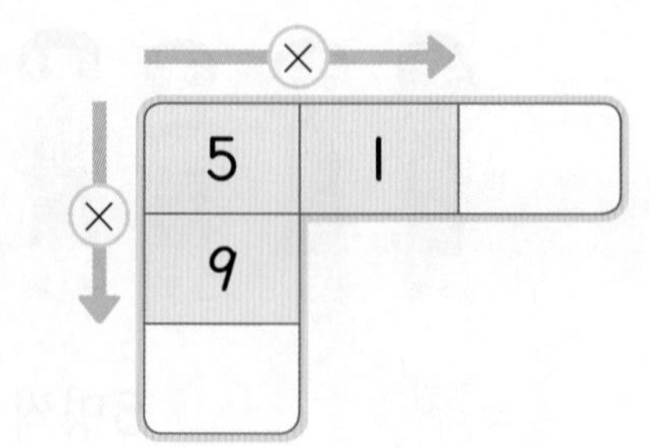

월 일	분	개
학습 날짜	학습 시간	맞힌 개수

곱셈표를 완성하세요.

9

×	2	4	6	8	9	1	3	5	7
5			30	40					

10

×	3	5	1	7	2	4	9	8	6
5						20	45		

11

×	8	3	4	6	1	5	7	9	2
5		15							10

12

×	5	6	8	1	2	9	4	7	3
5	25				10				

13

×	7	4	6	3	5	1	2	8	9
5				15				40	

원리 동영상 강의

원리 ⑤ 6의 단 곱셈구구

6의 단 곱셈구구

• 6씩 ■묶음 ➡ 6+6+……+6 (■번) ➡ 6×■

• 6의 ■배 ➡ 6×■

×	1	2	3	4	5	6	7	8	9
6	6	12	18	24	30	36	42	48	54

+6 +6 +6 +6 +6 +6 +6 +6

예 6×3의 계산

6씩 3묶음 ➡ 6의 3배
➡ 6+6+6=18
➡ 6×3=18

뿡뿡이: 6의 단 곱셈구구에서 곱하는 수가 1씩 커지면 곱은 6씩 커져.

□ 안에 알맞은 수를 써넣으세요.

1 6 ➡ 6×1=□

2 6+6=□ ➡ 6×2=□

3 6+6+6=□ ➡ 6×3=□

4 6+6+6+6=□ ➡ 6×4=□

5 6+6+6+6+6=□ ➡ 6×5=□

6 6+6+6+6+6+6=□ ➡ 6×6=□

7 6+6+6+6+6+6+6=□ ➡ 6×7=□

8 6+6+6+6+6+6+6+6=□ ➡ 6×8=□

9 6+6+6+6+6+6+6+6+6=□ ➡ 6×9=□

월 일	분	개
학습 날짜	학습 시간	맞힌 개수

덧셈을 곱셈식으로 나타내어 보세요.

10 $6+6=6\times\square=\square$

11 $6+6+6+6+6=6\times\square=\square$

12 $6+6+6+6+6+6+6+6=6\times\square=\square$

13 $6+6+6+6=6\times\square=\square$

14 $6+6+6+6+6+6+6=6\times\square=\square$

15 $6+6+6=6\times\square=\square$

곱셈을 덧셈식으로 나타내어 보세요.

16 $6\times6=6+6+6+6+\square+\square=\square$

17 $6\times9=6+6+6+6+6+6+6+\square+\square=\square$

18 $6\times2=6+\square=\square$

19 $6\times4=6+6+\square+\square=\square$

20 $6\times7=6+6+6+6+6+\square+\square=\square$

21 $6\times5=6+6+6+\square+\square=\square$

∷ 수직선을 보고 □ 안에 알맞은 수를 써넣으세요.

1

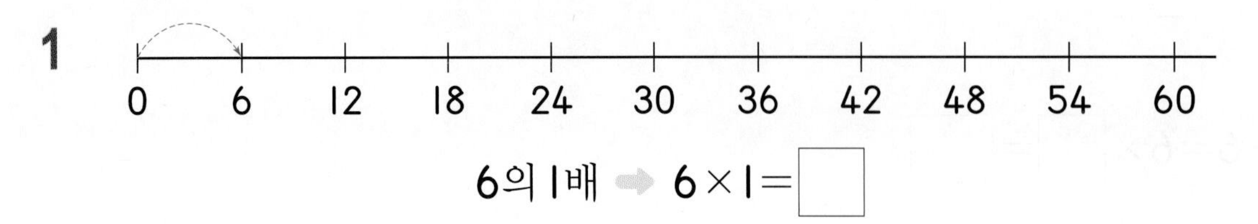

6의 1배 ➡ 6×1=□

2

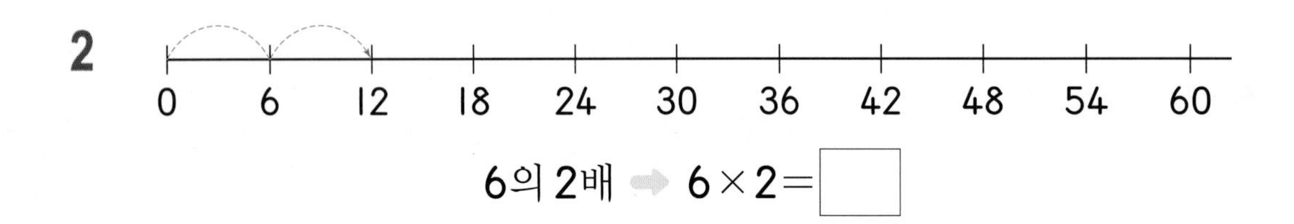

6의 2배 ➡ 6×2=□

3

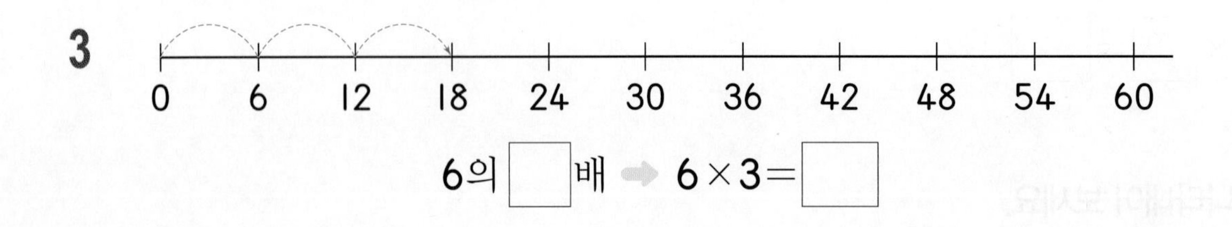

6의 □배 ➡ 6×3=□

4

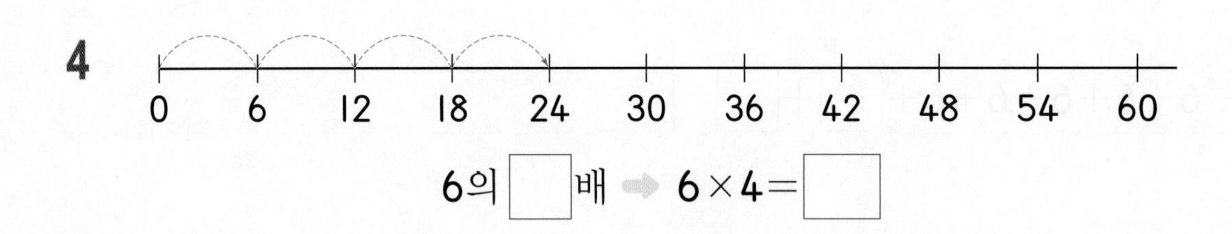

6의 □배 ➡ 6×4=□

5

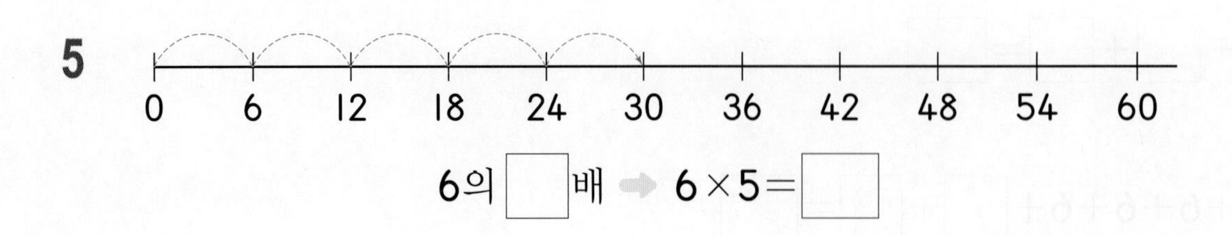

6의 □배 ➡ 6×5=□

6

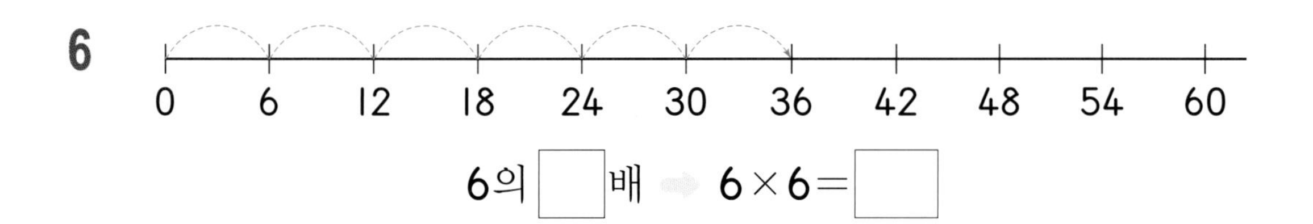

6의 □배 ➡ 6×6=□

7

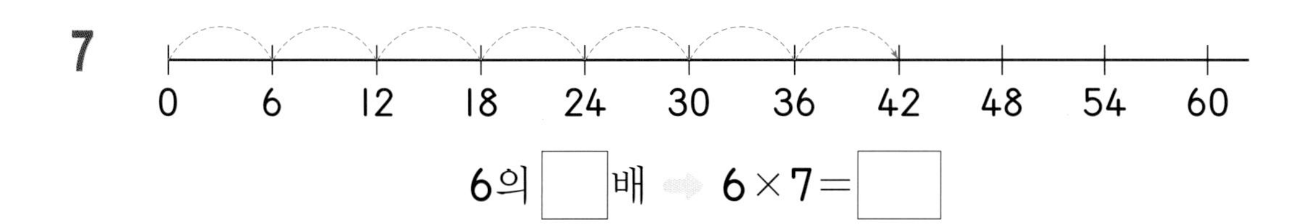

6의 □배 ➡ 6×7=□

8

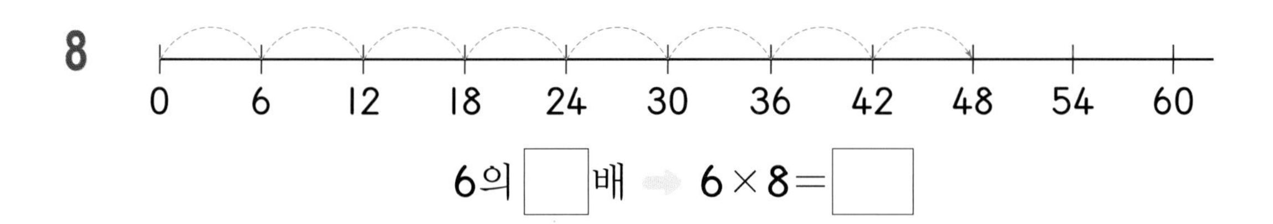

6의 □배 ➡ 6×8=□

9

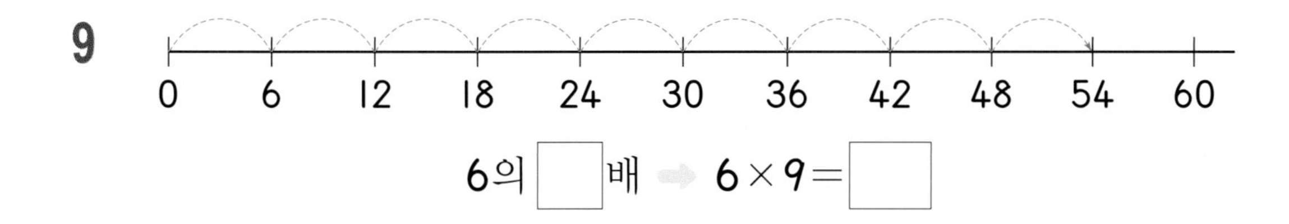

6의 □배 ➡ 6×9=□

실력 up

10 놀이 기구 한 대에 6명씩 탈 수 있습니다. 놀이 기구 4대에 탈 수 있는 사람은 몇 명일까요?

6명씩 4대 ➡ 6×4=□

답 ______________

적용 ❺ 6의 단 곱셈구구

빈 곳에 알맞은 수를 써넣으세요.

1
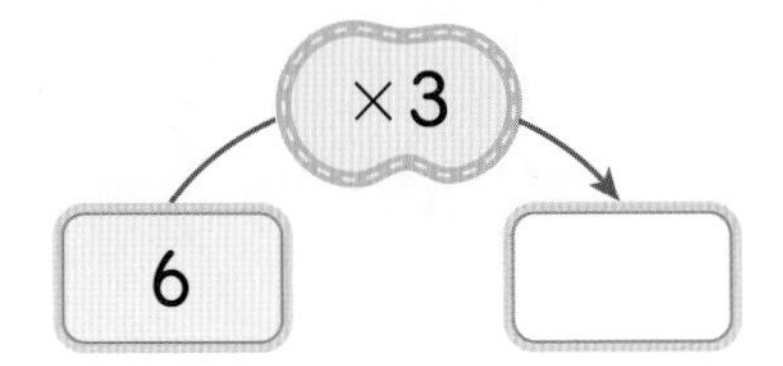

2
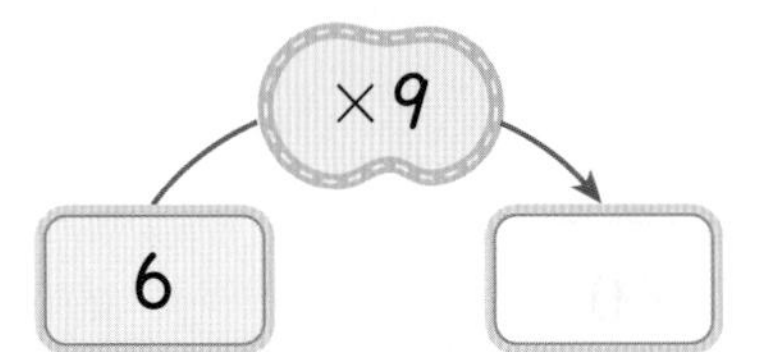

3
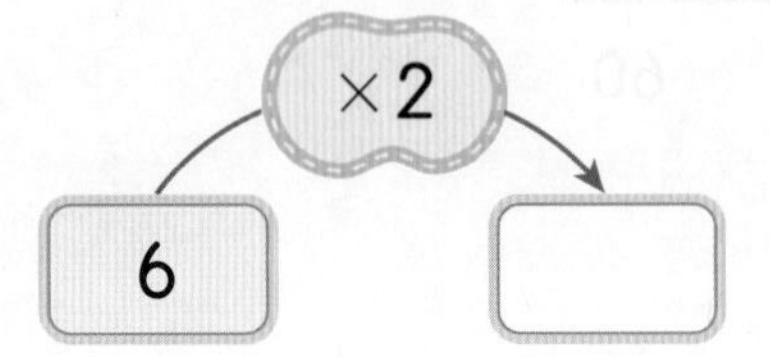

4
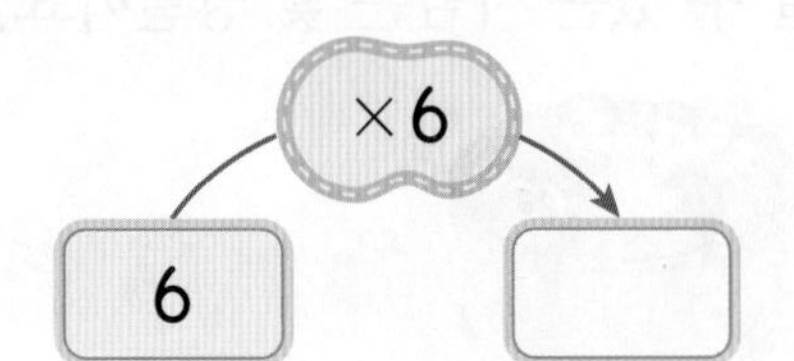

5
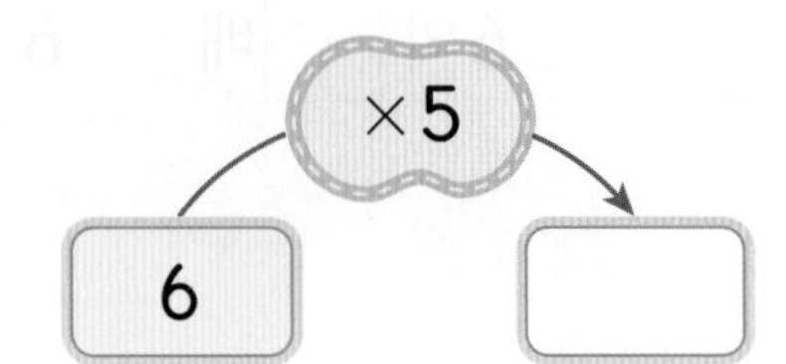

6
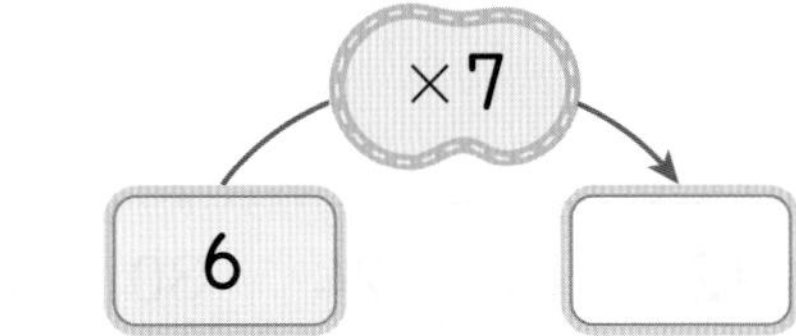

7
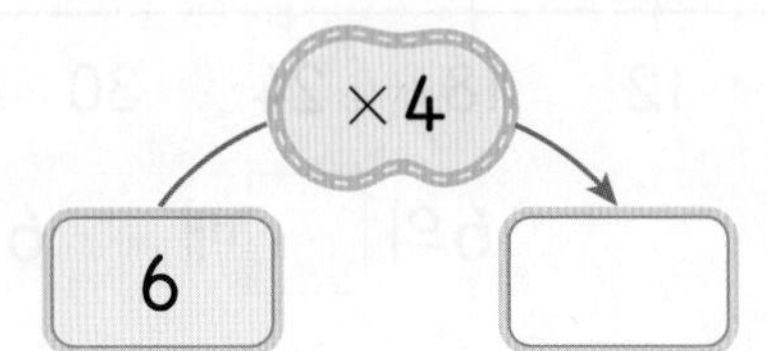

8
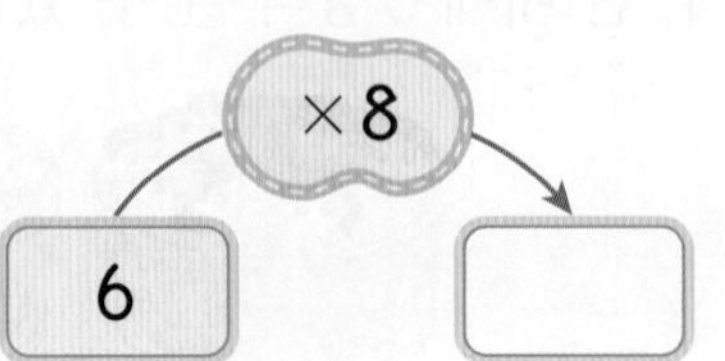

곱셈표를 완성하세요.

9

×	6	3	8	1	2	4	7	5	9
6		18						30	

10

×	1	5	2	9	6	8	3	4	7
6			12			48			

11

×	4	2	1	8	3	9	5	7	6
6	24							42	

12

×	9	1	5	4	7	6	2	3	8
6				24	42				

13

×	2	8	4	9	6	3	7	1	5
6			24			18			

원리 동영상 강의

원리 ⑥ 7의 단 곱셈구구

7의 단 곱셈구구

- 7씩 ■묶음 ➡ 7+7+……+7 (■번) ➡ 7×■
- 7의 ■배 ➡ 7×■

×	1	2	3	4	5	6	7	8	9
7	7	14	21	28	35	42	49	56	63

+7 +7 +7 +7 +7 +7 +7 +7

예 7×3의 계산

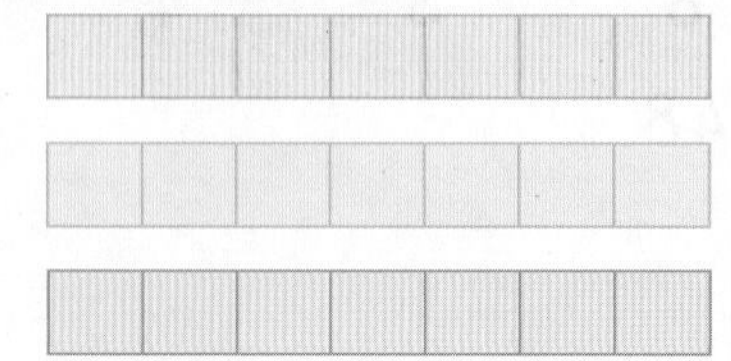

7씩 3묶음 ➡ 7의 3배
➡ 7+7+7=21
➡ 7×3=21

뿡뿡이: 7의 단 곱셈구구에서 곱하는 수가 1씩 커지면 곱은 7씩 커져.

□ 안에 알맞은 수를 써넣으세요.

1 7 ➡ 7×1=□

2 7+7=□ ➡ 7×2=□

3 7+7+7=□ ➡ 7×3=□

4 7+7+7+7=□ ➡ 7×4=□

5 7+7+7+7+7=□ ➡ 7×5=□

6 7+7+7+7+7+7=□ ➡ 7×6=□

7 7+7+7+7+7+7+7=□ ➡ 7×7=□

8 7+7+7+7+7+7+7+7=□ ➡ 7×8=□

9 7+7+7+7+7+7+7+7+7=□ ➡ 7×9=□

덧셈을 곱셈식으로 나타내어 보세요.

10 $7+7+7+7+7+7+7=7\times\square=\square$

11 $7+7+7+7+7=7\times\square=\square$

12 $7+7+7=7\times\square=\square$

13 $7+7+7+7=7\times\square=\square$

14 $7+7+7+7+7+7+7+7=7\times\square=\square$

15 $7+7=7\times\square=\square$

곱셈을 덧셈식으로 나타내어 보세요.

16 $7\times6=7+7+7+7+\square+\square=\square$

17 $7\times5=7+7+7+\square+\square=\square$

18 $7\times9=7+7+7+7+7+7+7+\square+\square=\square$

19 $7\times7=7+7+7+7+7+\square+\square=\square$

20 $7\times4=7+7+\square+\square=\square$

21 $7\times3=7+\square+\square=\square$

❻ 7의 단 곱셈구구

수직선을 보고 □ 안에 알맞은 수를 써넣으세요.

1

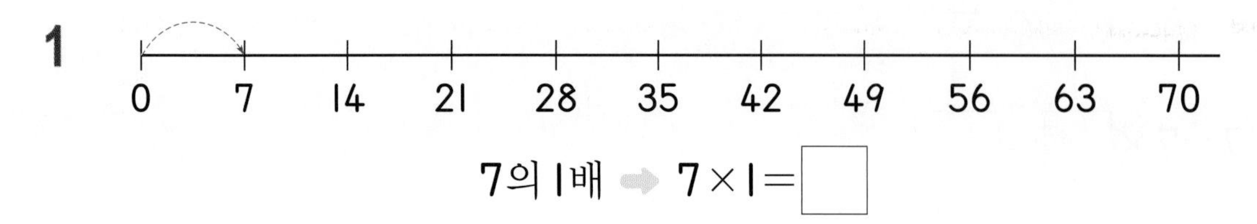

7의 1배 ➡ $7\times1=$ □

2

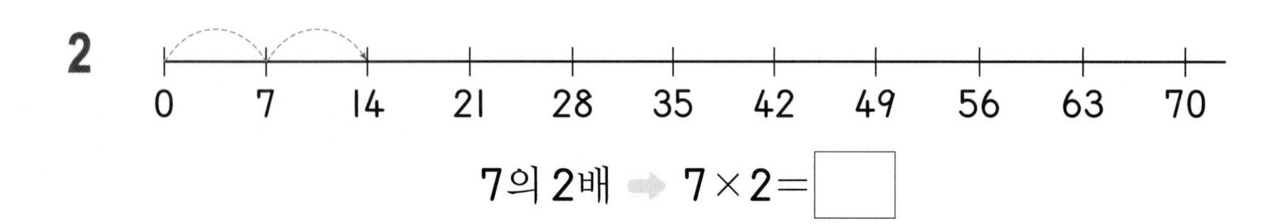

7의 2배 ➡ $7\times2=$ □

3

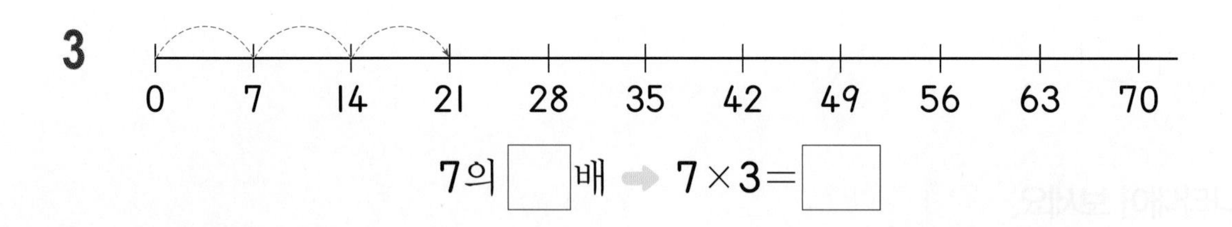

7의 □배 ➡ $7\times3=$ □

4

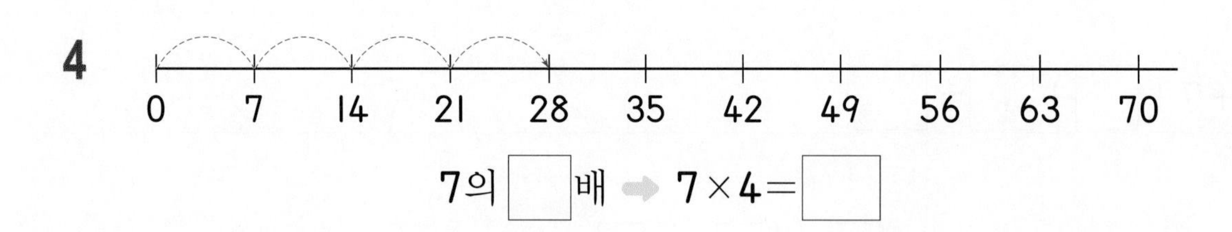

7의 □배 ➡ $7\times4=$ □

5

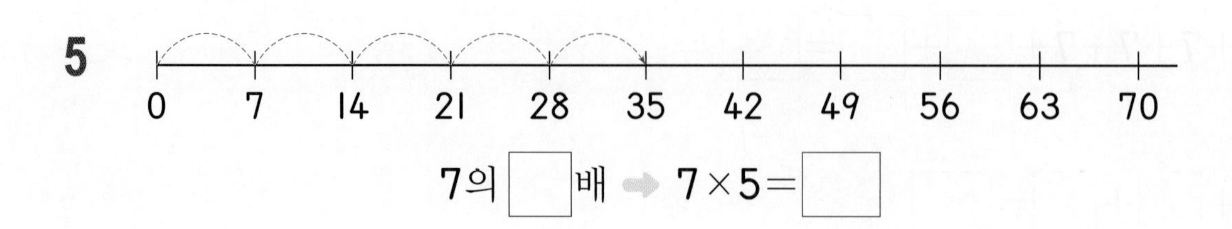

7의 □배 ➡ $7\times5=$ □

6

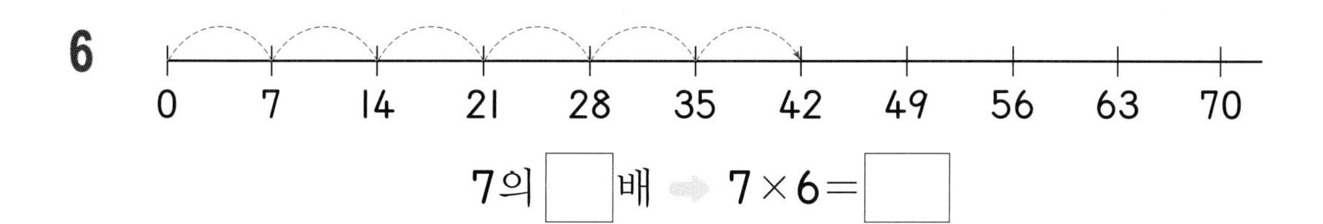

7의 ☐배 ➡ $7\times6=$ ☐

7

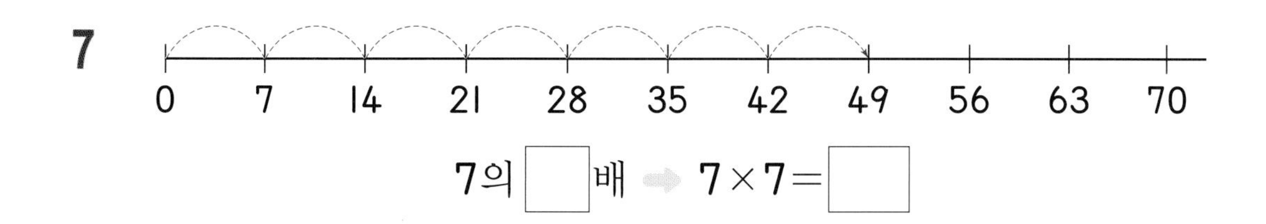

7의 ☐배 ➡ $7\times7=$ ☐

8

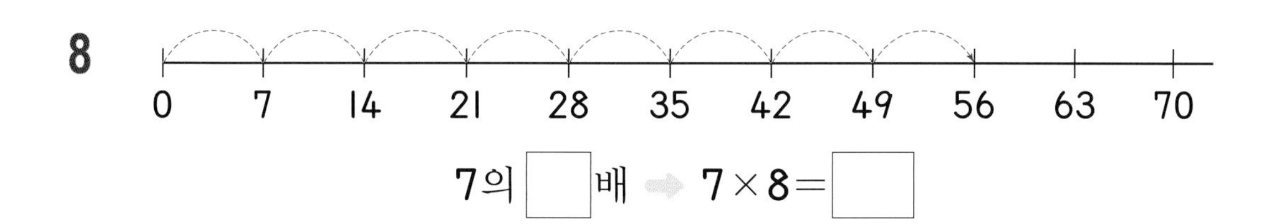

7의 ☐배 ➡ $7\times8=$ ☐

9

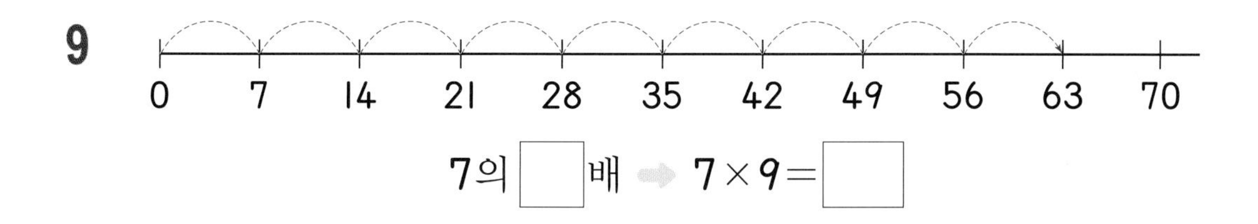

7의 ☐배 ➡ $7\times9=$ ☐

실력 up

10 사탕이 한 봉지에 7개씩 들어 있습니다. 5봉지에 들어 있는 사탕은 모두 몇 개일까요?

7개씩 5봉지 ➡ $7\times5=$ ☐

답 ____________

적용

❻ 7의 단 곱셈구구

□ 안에 알맞은 수를 써넣으세요.

1
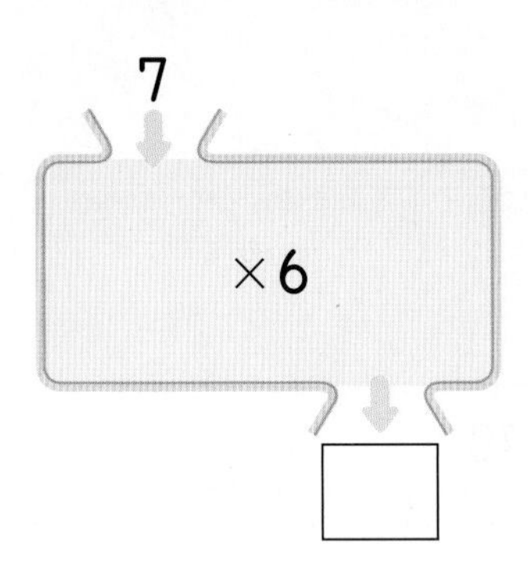

2
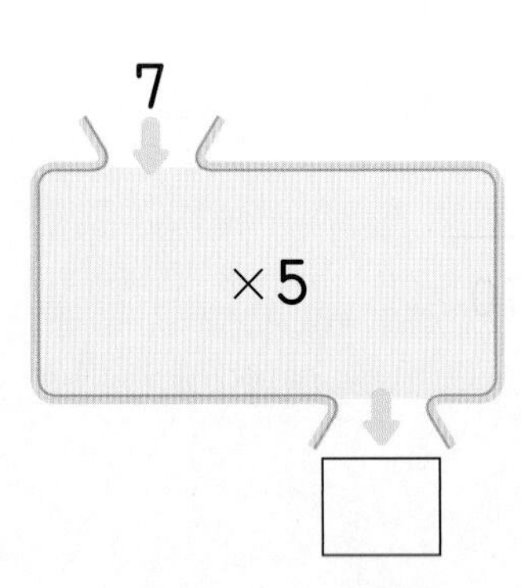

3
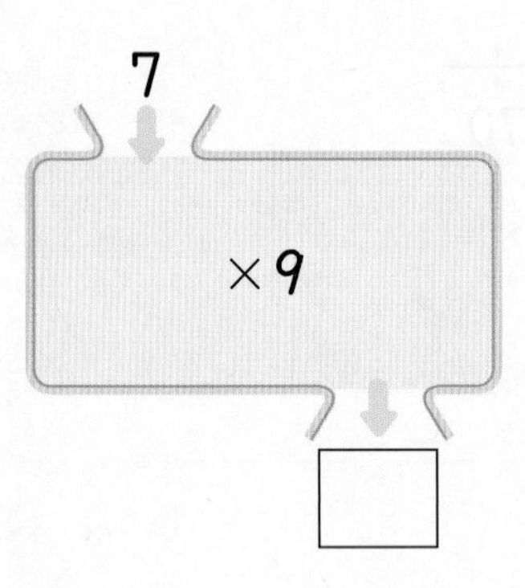

4
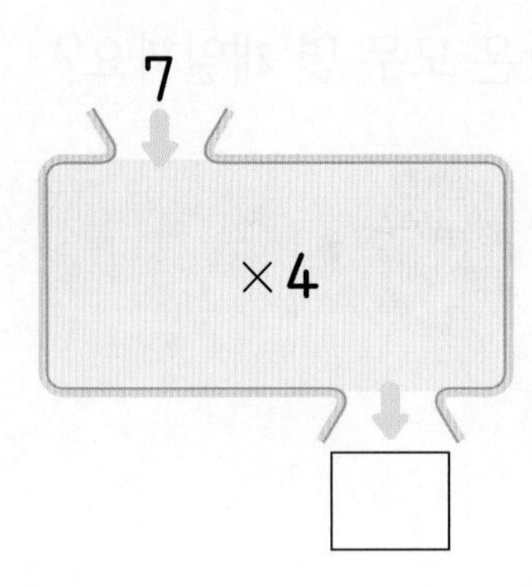

5
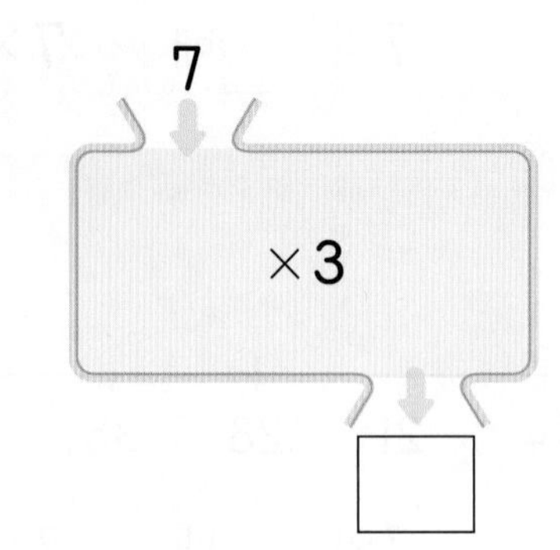

6
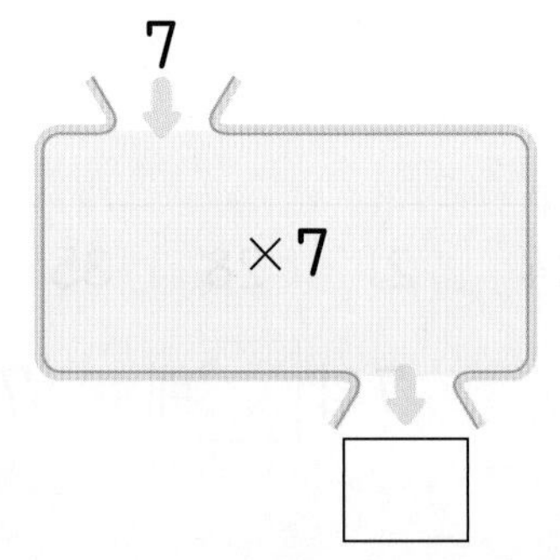

7
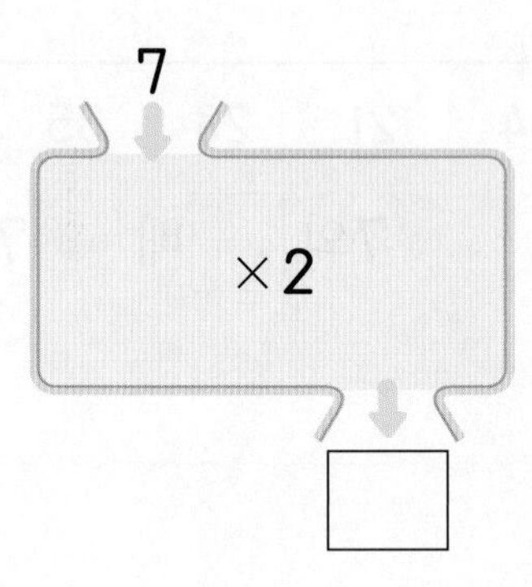

8
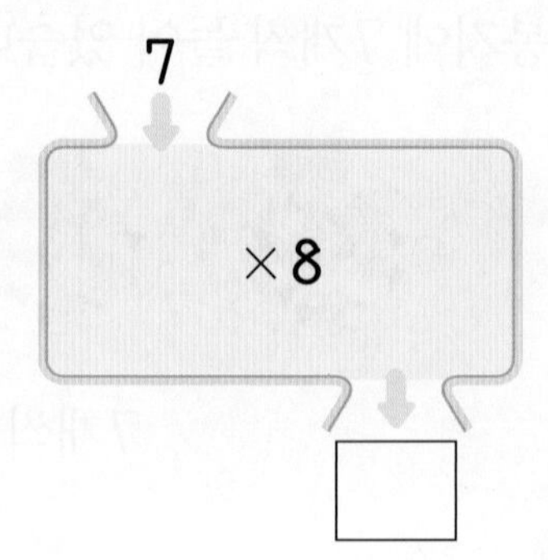

곱셈표를 완성하세요.

9

×	4	9	2	1	5	6	3	7	8
7				7				49	

10

×	8	2	5	3	6	1	9	4	7
7			35					28	

11

×	3	1	7	5	9	2	8	6	4
7	21					14			

12

×	7	6	1	4	2	8	5	3	9
7		42							63

13

×	1	8	7	9	6	4	2	5	3
7					42	28			

원리

❼ 8의 단 곱셈구구

8의 단 곱셈구구

- 8씩 ■묶음 ➡ 8+8+……+8 (■번) ➡ 8×■
- 8의 ■배 ➡ 8×■

×	1	2	3	4	5	6	7	8	9
8	8	16	24	32	40	48	56	64	72

+8 +8 +8 +8 +8 +8 +8 +8

예 8×4의 계산

8씩 4묶음
➡ 8의 4배
➡ 8+8+8+8=32
➡ 8×4=32

뿜뿜이

8의 단 곱셈구구에서 곱하는 수가 1씩 커지면 곱은 8씩 커져.

□ 안에 알맞은 수를 써넣으세요.

1 8 ➡ 8×1=□

2 8+8=□ ➡ 8×2=□

3 8+8+8=□ ➡ 8×3=□

4 8+8+8+8=□ ➡ 8×4=□

5 8+8+8+8+8=□ ➡ 8×5=□

6 8+8+8+8+8+8=□ ➡ 8×6=□

7 8+8+8+8+8+8+8=□ ➡ 8×7=□

8 8+8+8+8+8+8+8+8=□ ➡ 8×8=□

9 8+8+8+8+8+8+8+8+8=□ ➡ 8×9=□

덧셈을 곱셈식으로 나타내어 보세요.

10 $8+8+8+8+8+8=8\times\square=\square$

11 $8+8+8+8=8\times\square=\square$

12 $8+8=8\times\square=\square$

13 $8+8+8+8+8+8+8+8+8=8\times\square=\square$

14 $8+8+8=8\times\square=\square$

15 $8+8+8+8+8=8\times\square=\square$

곱셈을 덧셈식으로 나타내어 보세요.

16 $8\times4=8+8+\square+\square=\square$

17 $8\times7=8+8+8+8+8+\square+\square=\square$

18 $8\times5=8+8+8+\square+\square=\square$

19 $8\times8=8+8+8+8+8+8+\square+\square=\square$

20 $8\times6=8+8+8+8+\square+\square=\square$

21 $8\times2=8+\square=\square$

연습 ⑦ 8의 단 곱셈구구

수직선을 보고 □ 안에 알맞은 수를 써넣으세요.

1

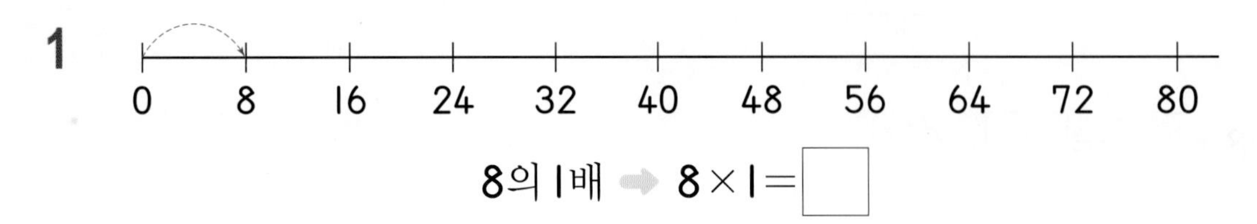

8의 1배 ➡ $8 \times 1 =$ □

2

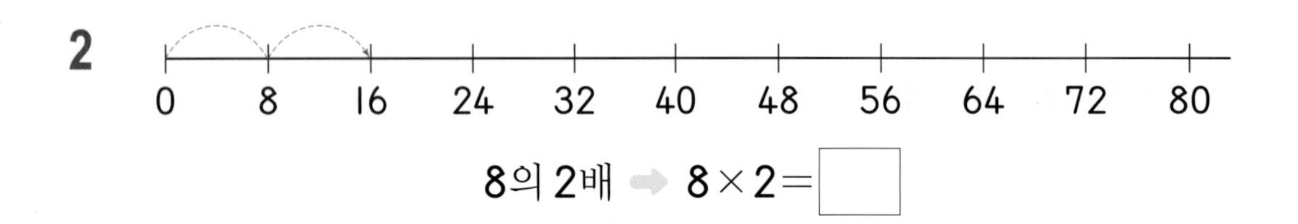

8의 2배 ➡ $8 \times 2 =$ □

3

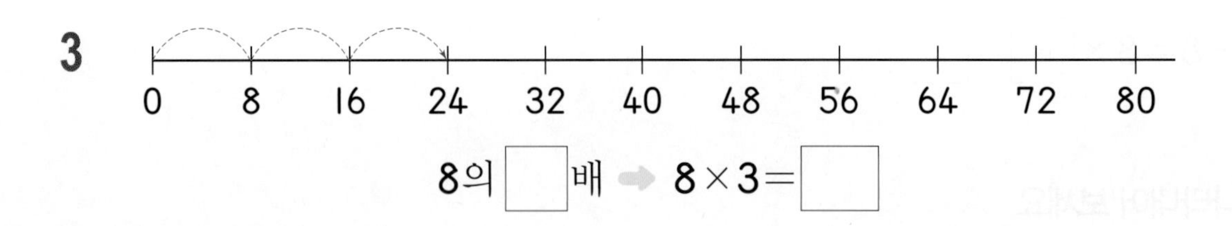

8의 □배 ➡ $8 \times 3 =$ □

4

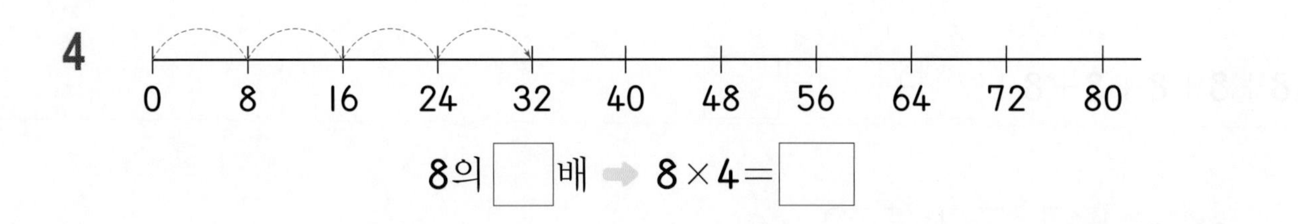

8의 □배 ➡ $8 \times 4 =$ □

5

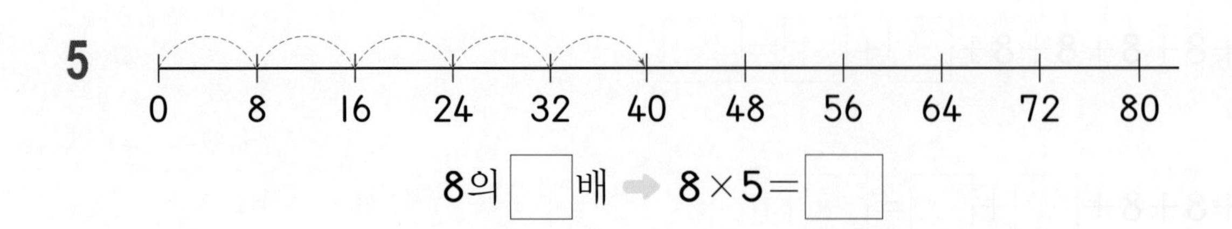

8의 □배 ➡ $8 \times 5 =$ □

6

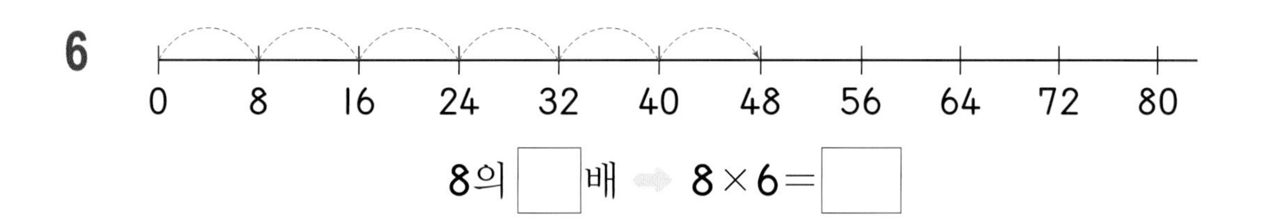

8의 □배 ➡ 8×6=□

7

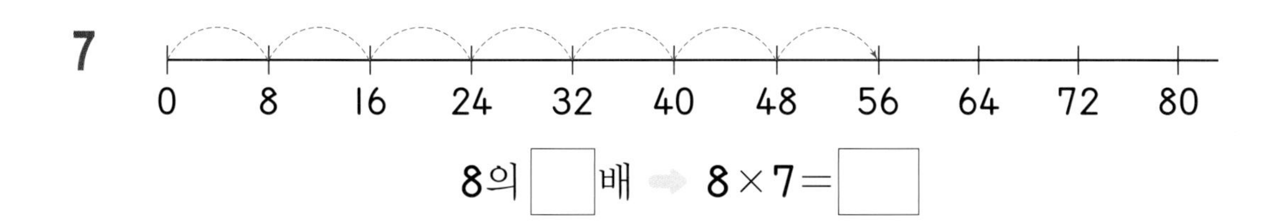

8의 □배 ➡ 8×7=□

8

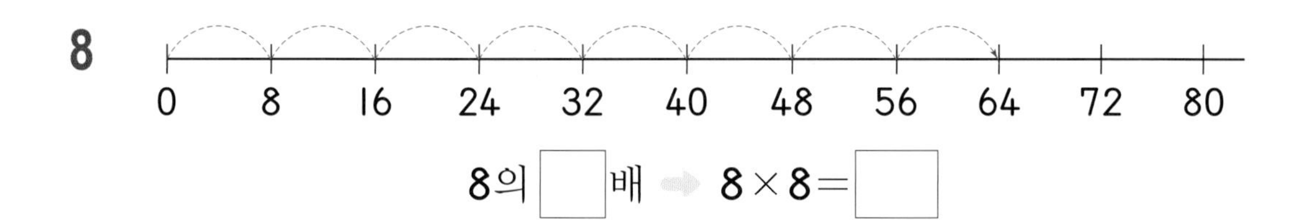

8의 □배 ➡ 8×8=□

9

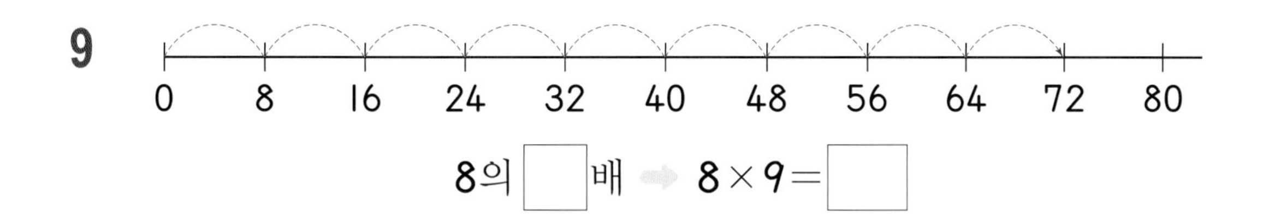

8의 □배 ➡ 8×9=□

실력 up

10 피자 한 판을 8조각으로 나누었습니다. 피자 3판은 모두 몇 조각일까요?

8조각씩 3판 ➡ 8×3=□

답 ______

적용 ❼ 8의 단 곱셈구구

빈 곳에 알맞은 수를 써넣으세요.

1
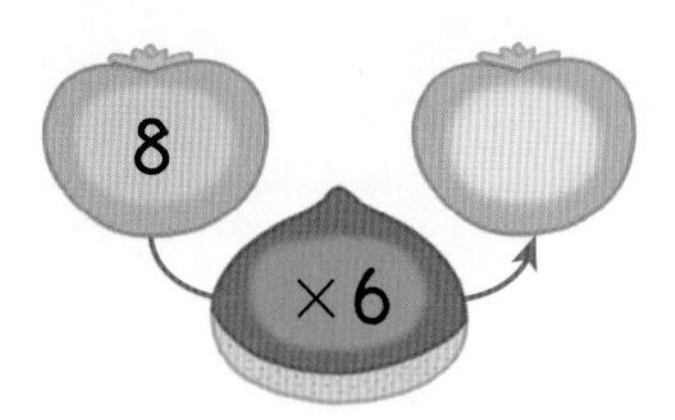

2
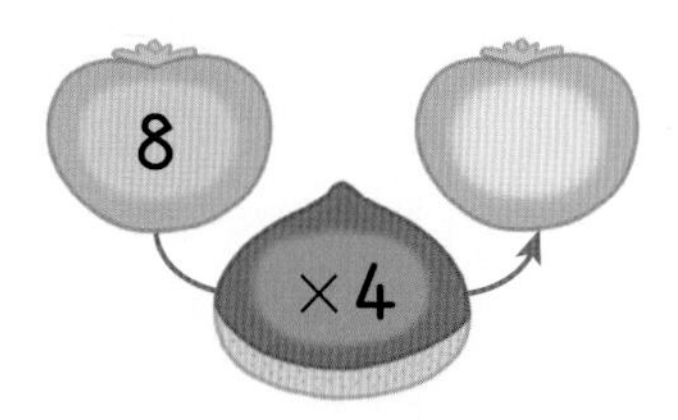

3
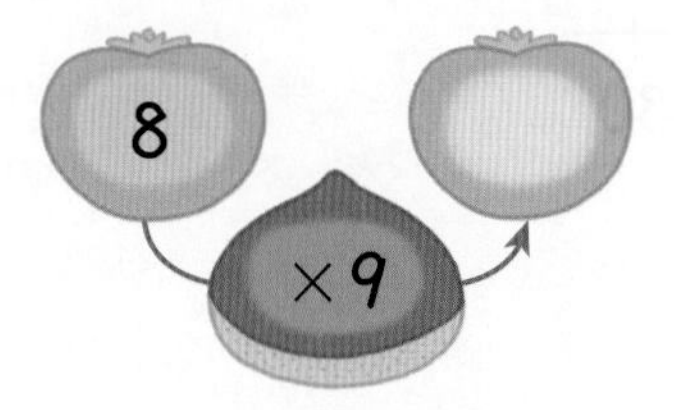

4
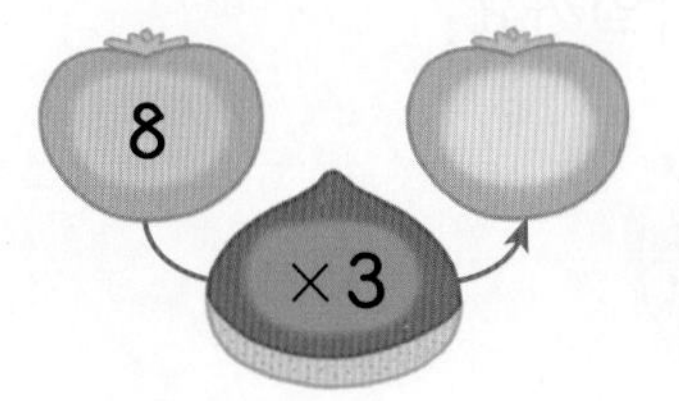

5
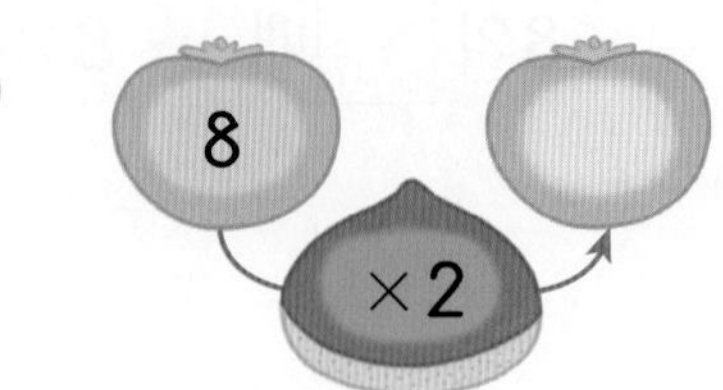

6
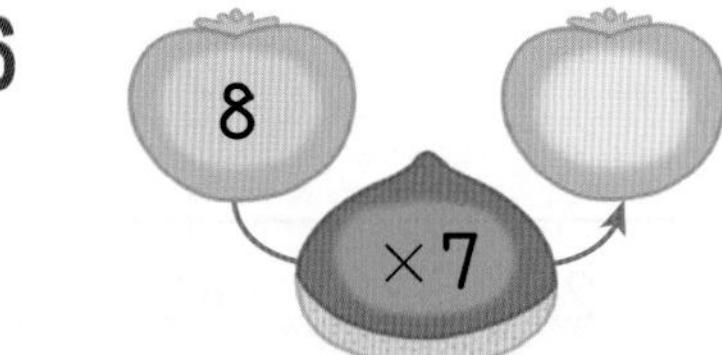

7
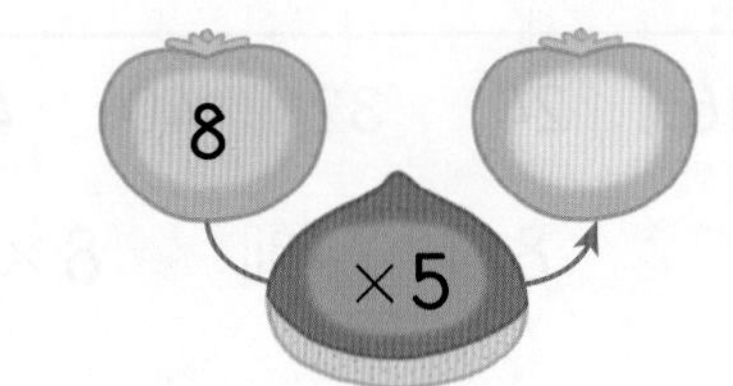

8
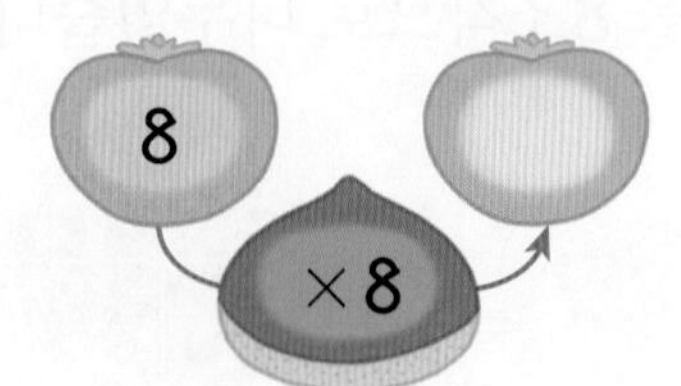

곱셈표를 완성하세요.

9

×	1	3	7	4	6	9	2	5	8
8			56					40	

10

×	4	2	6	3	1	7	5	8	9
8	32				8				

11

×	8	3	4	6	9	1	2	7	5
8				48			16		

12

×	2	9	5	1	7	3	4	6	8
8		72					32		

13

×	9	7	2	5	8	4	3	1	6
8				40			24		

원리

⑧ 9의 단 곱셈구구

원리 동영상 강의

9의 단 곱셈구구

• 9씩 ■묶음 ➡ $\underbrace{9+9+\cdots\cdots+9}_{■번}$ ➡ 9×■

• 9의 ■배 ➡ 9×■

×	1	2	3	4	5	6	7	8	9
9	9	18	27	36	45	54	63	72	81

+9 +9 +9 +9 +9 +9 +9 +9

예 9×3의 계산

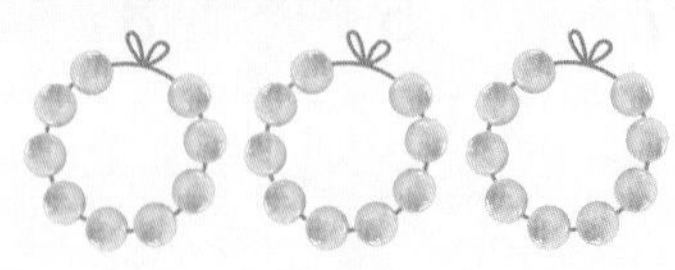

9씩 3묶음 ➡ 9의 3배
➡ 9+9+9=27
➡ 9×3=27

뿜뿜이

9의 단 곱셈구구에서 곱하는 수가 1씩 커지면 곱은 9씩 커져.

□ 안에 알맞은 수를 써넣으세요.

1 9 ➡ 9×1=□

2 9+9=□ ➡ 9×2=□

3 9+9+9=□ ➡ 9×3=□

4 9+9+9+9=□ ➡ 9×4=□

5 9+9+9+9+9=□ ➡ 9×5=□

6 9+9+9+9+9+9=□ ➡ 9×6=□

7 9+9+9+9+9+9+9=□ ➡ 9×7=□

8 9+9+9+9+9+9+9+9=□ ➡ 9×8=□

9 9+9+9+9+9+9+9+9+9=□ ➡ 9×9=□

덧셈을 곱셈식으로 나타내어 보세요.

10 $9+9+9+9+9+9=9\times\square=\square$

11 $9+9+9=9\times\square=\square$

12 $9+9+9+9+9=9\times\square=\square$

13 $9+9=9\times\square=\square$

14 $9+9+9+9+9+9+9+9+9=9\times\square=\square$

15 $9+9+9+9=9\times\square=\square$

곱셈을 덧셈식으로 나타내어 보세요.

16 $9\times7=9+9+9+9+9+\square+\square=\square$

17 $9\times3=9+\square+\square=\square$

18 $9\times8=9+9+9+9+9+9+\square+\square=\square$

19 $9\times5=9+9+9+\square+\square=\square$

20 $9\times6=9+9+9+9+\square+\square=\square$

21 $9\times4=9+9+\square+\square=\square$

연습 ⑧ 9의 단 곱셈구구

수직선을 보고 □ 안에 알맞은 수를 써넣으세요.

1

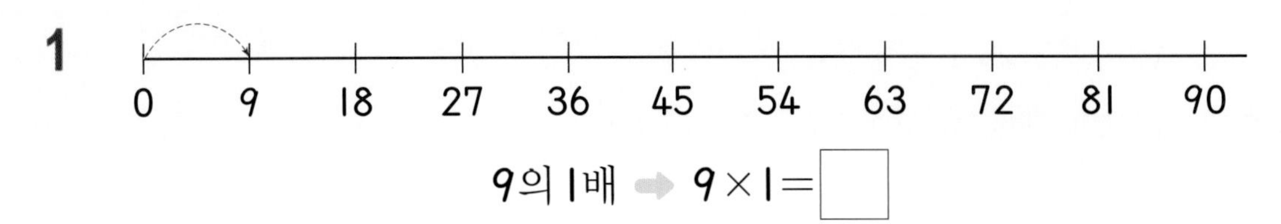

9의 1배 ➡ $9 \times 1 =$ □

2

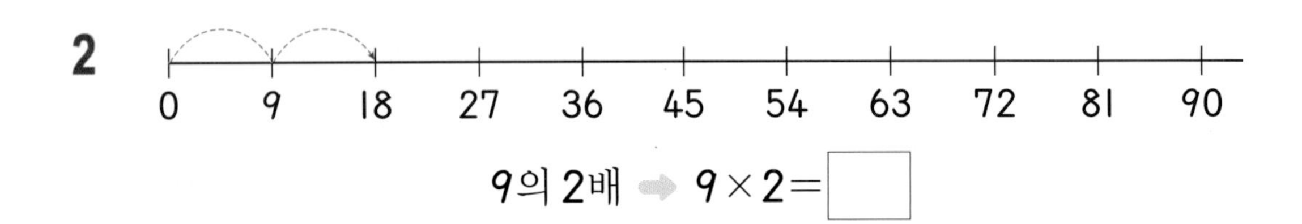

9의 2배 ➡ $9 \times 2 =$ □

3

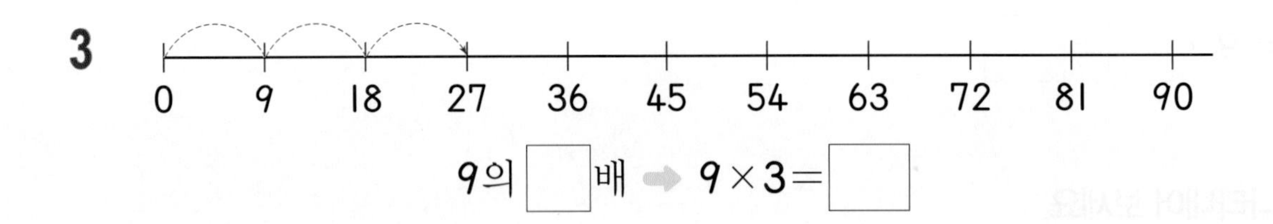

9의 □배 ➡ $9 \times 3 =$ □

4

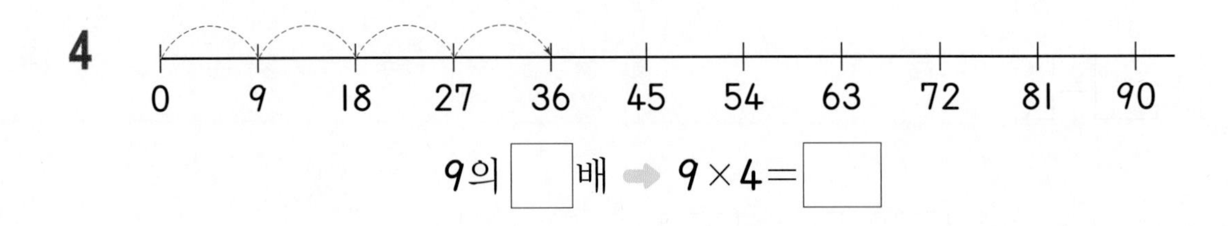

9의 □배 ➡ $9 \times 4 =$ □

5

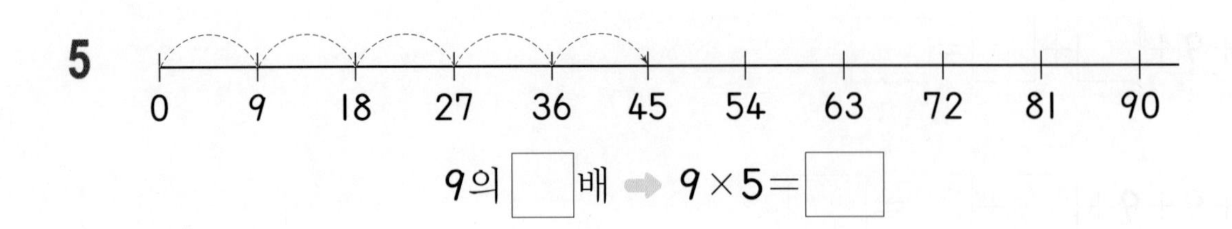

9의 □배 ➡ $9 \times 5 =$ □

6

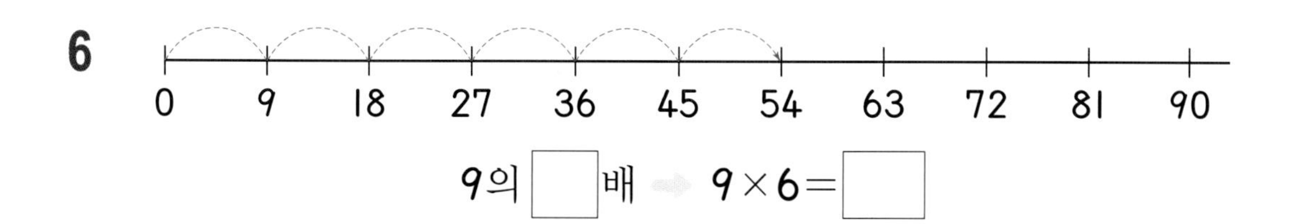

9의 □배 ➡ $9 \times 6 =$ □

7

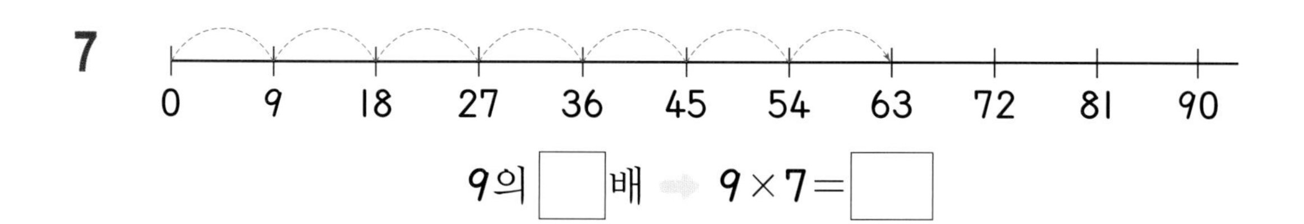

9의 □배 ➡ $9 \times 7 =$ □

8

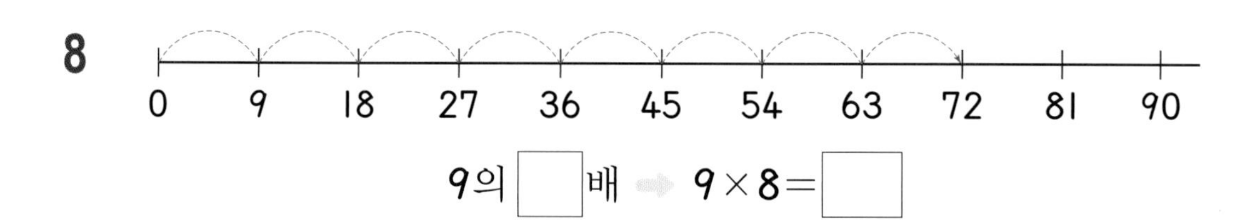

9의 □배 ➡ $9 \times 8 =$ □

9

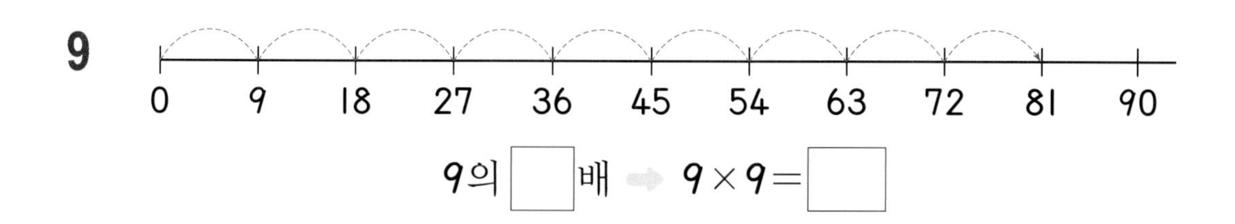

9의 □배 ➡ $9 \times 9 =$ □

실력 up

10 책장 한 칸에 책을 9권씩 꽂았습니다. 이 책장 4칸에 꽂힌 책은 모두 몇 권일까요?

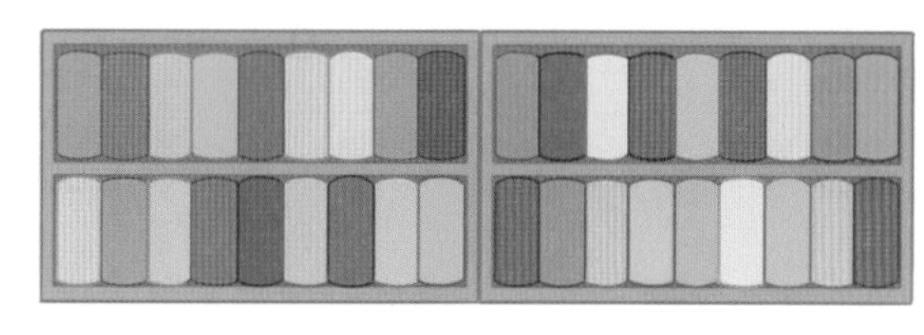

9권씩 4칸 ➡ $9 \times 4 =$ □

답 ____________

적용

⑧ 9의 단 곱셈구구

빈 곳에 알맞은 수를 써넣으세요.

1

×

9	2	
3		

2

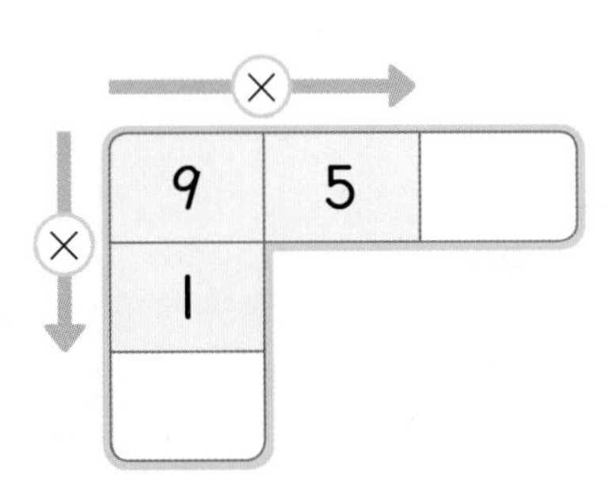

3

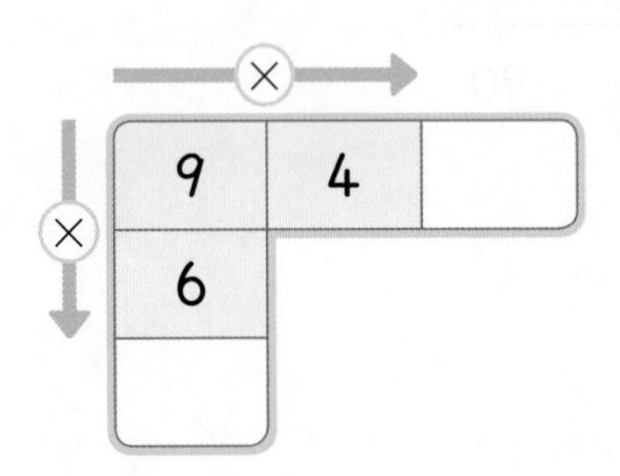

4

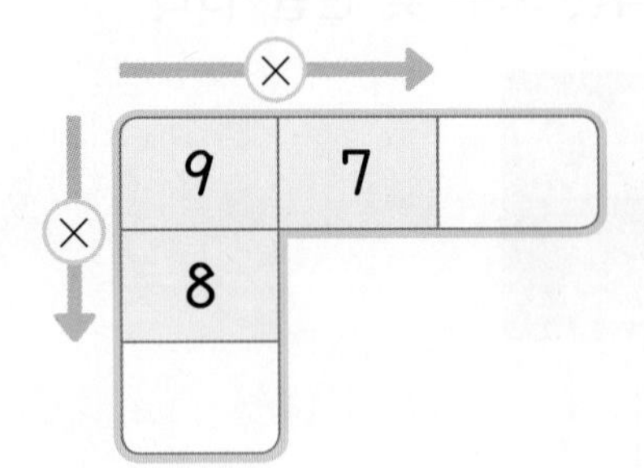

5

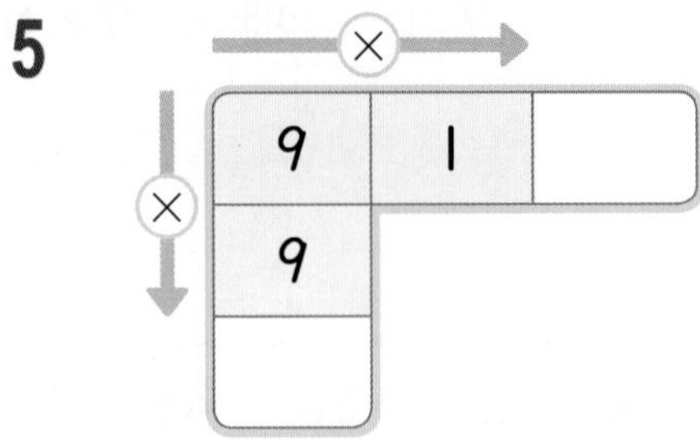

6

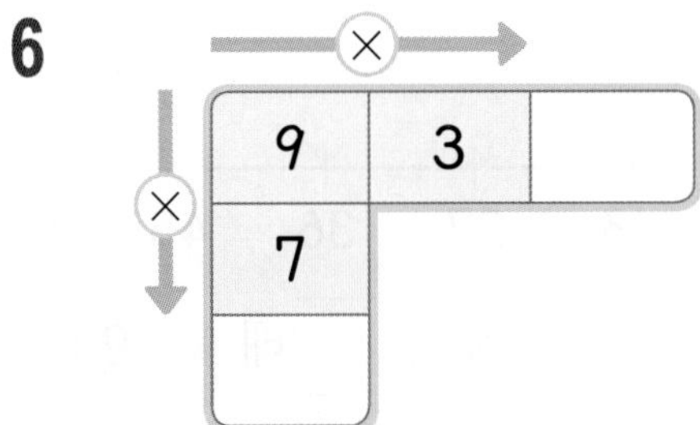

7

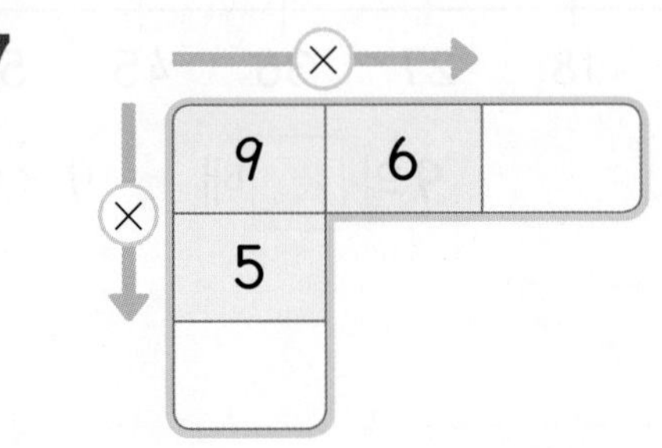

8

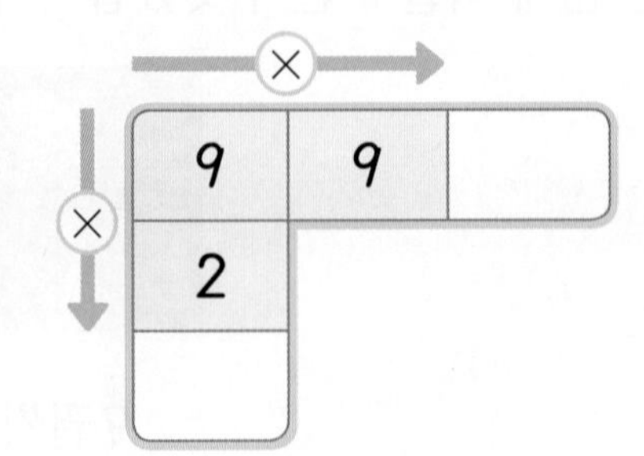

월 일	분	개
학습 날짜	학습 시간	맞힌 개수

곱셈표를 완성하세요.

9

×	6	3	1	5	9	4	8	7	2
9			9						18

10

×	2	5	9	7	1	3	4	8	6
9		45					36		

11

×	1	4	8	9	2	5	6	3	7
9			72				54		

12

×	8	1	6	5	7	9	2	4	3
9		9				81			

13

×	5	9	2	1	8	6	3	7	4
9	45							63	

원리 ⑨ 1의 단 곱셈구구 / 0과 어떤 수의 곱

1의 단 곱셈구구

- 1씩 ■묶음 ➡ 1+1+……+1 (■번) ➡ 1×■
- 1과 어떤 수의 곱은 항상 어떤 수입니다.

➡ 1×■=■

×	1	2	3	4	5	6	7	8	9
1	1	2	3	4	5	6	7	8	9

+1 +1 +1 +1 +1 +1 +1 +1

0과 어떤 수의 곱

0과 어떤 수의 곱은 항상 0입니다.

➡ 0×▲=0, ▲×0=0

뿜뿜이: 1의 단 곱셈구구에서 곱하는 수가 1씩 커지면 곱은 1씩 커져.

□ 안에 알맞은 수를 써넣으세요.

1 1 ➡ 1×1=□

2 1+1=□ ➡ 1×2=□

3 1+1+1=□ ➡ 1×3=□

4 1+1+1+1=□ ➡ 1×4=□

5 1+1+1+1+1=□ ➡ 1×5=□

6 1+1+1+1+1+1=□ ➡ 1×6=□

7 1+1+1+1+1+1+1=□ ➡ 1×7=□

8 1+1+1+1+1+1+1+1=□ ➡ 1×8=□

9 1+1+1+1+1+1+1+1+1=□ ➡ 1×9=□

정답 15쪽

월　　일	분	개
학습 날짜	학습 시간	맞힌 개수

화분에 심은 꽃의 수를 곱셈식으로 나타내어 보세요.

10     $1 \times 4 =$ □

11       $1 \times 6 =$ □

12        $1 \times 8 =$ □

13     $1 \times 5 =$ □

14   $1 \times 2 =$ □

15    $0 \times 3 =$ □

16          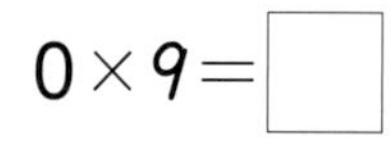 $0 \times 9 =$ □

17      $0 \times 5 =$ □

18        $0 \times 7 =$ □

19      $0 \times 4 =$ □

연습 ⑨ 1의 단 곱셈구구 / 0과 어떤 수의 곱

수직선을 보고 □ 안에 알맞은 수를 써넣으세요.

1

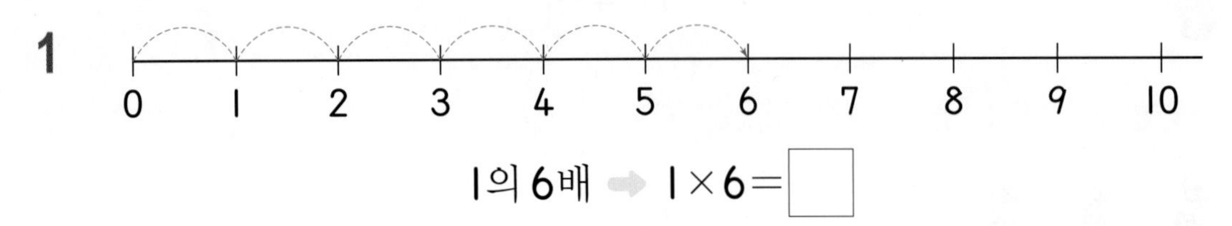

1의 6배 ➡ 1×6=□

2

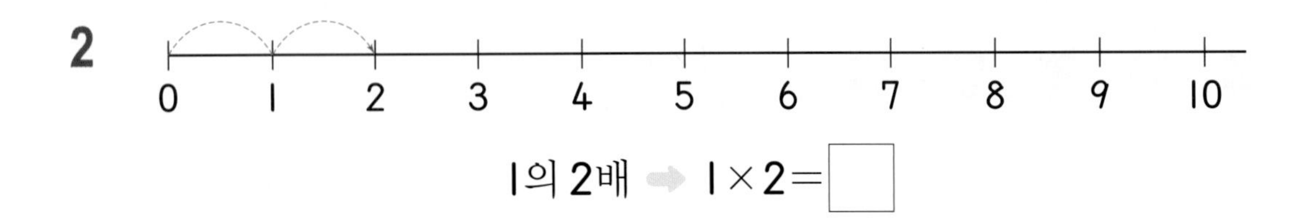

1의 2배 ➡ 1×2=□

3

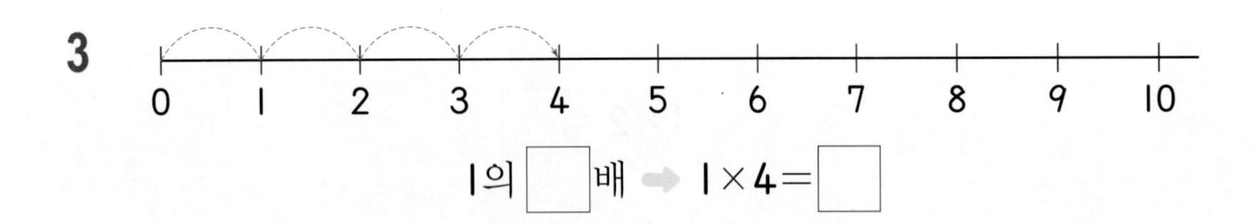

1의 □배 ➡ 1×4=□

4

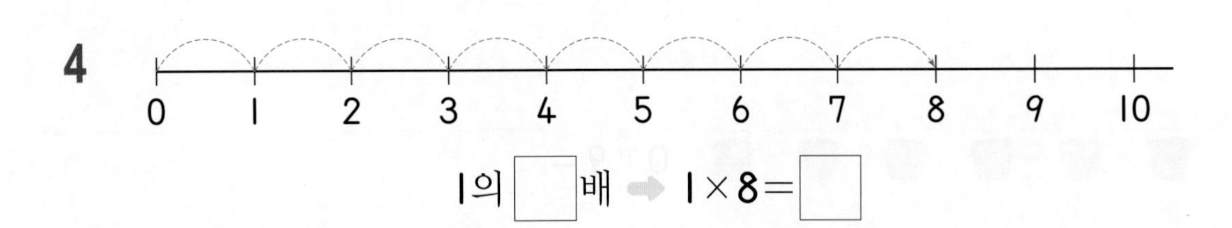

1의 □배 ➡ 1×8=□

5

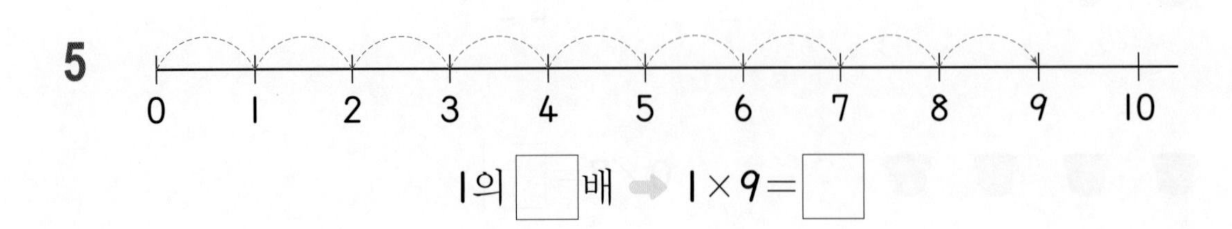

1의 □배 ➡ 1×9=□

□ 안에 알맞은 수를 써넣으세요.

6 $1 \times 7 = \square$

7 $1 \times 4 = \square$

8 $1 \times 1 = \square$

9 $1 \times 6 = \square$

10 $1 \times 9 = \square$

11 $1 \times 2 = \square$

12 $1 \times 5 = \square$

13 $1 \times 3 = \square$

14 $1 \times 8 = \square$

15 $0 \times 2 = \square$

16 $8 \times 0 = \square$

17 $0 \times 9 = \square$

18 $7 \times 0 = \square$

19 $0 \times 5 = \square$

20 $1 \times 0 = \square$

실력 up

21 태우는 과녁에 화살을 던져 0점에 4번 맞혔습니다. 태우가 얻은 점수는 모두 몇 점일까요?

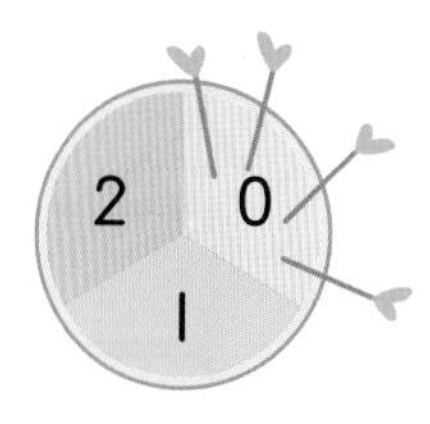

$0 \times 4 = \square$

답 ____________

적용 ⑨ 1의 단 곱셈구구 / 0과 어떤 수의 곱

빈 곳에 알맞은 수를 써넣으세요.

1
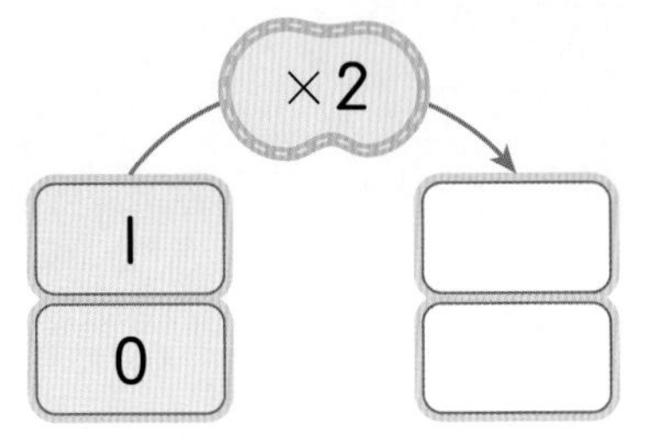

2
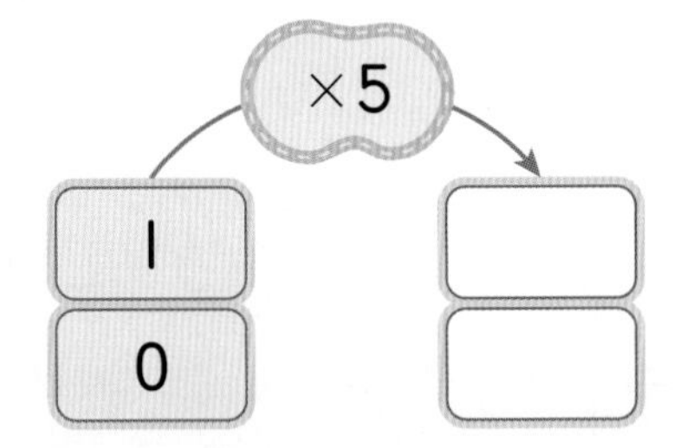

3
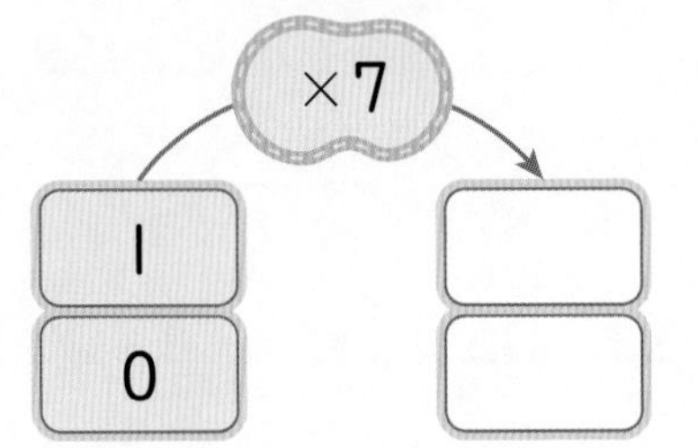

4
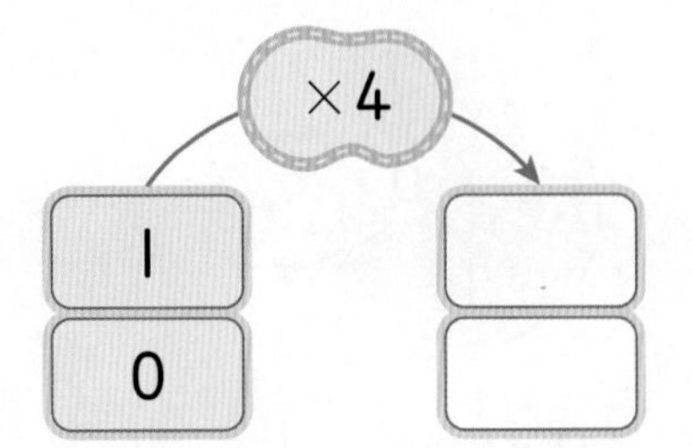

5
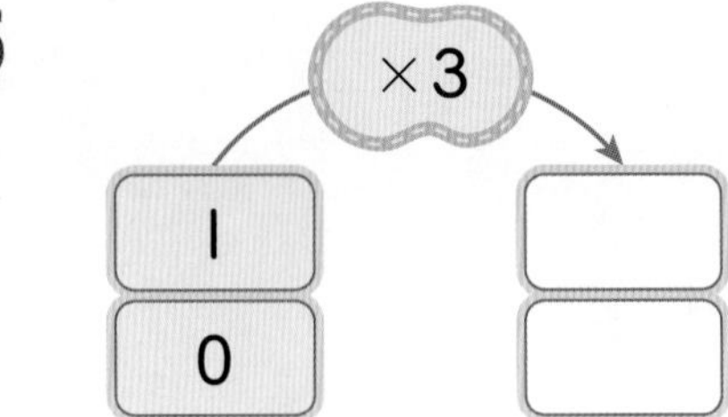

6
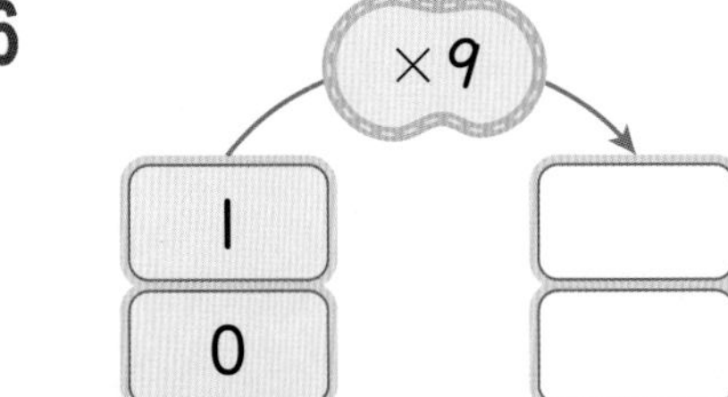

7
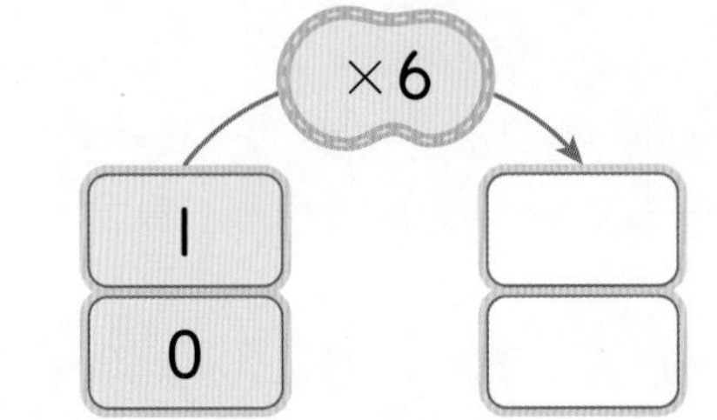

8
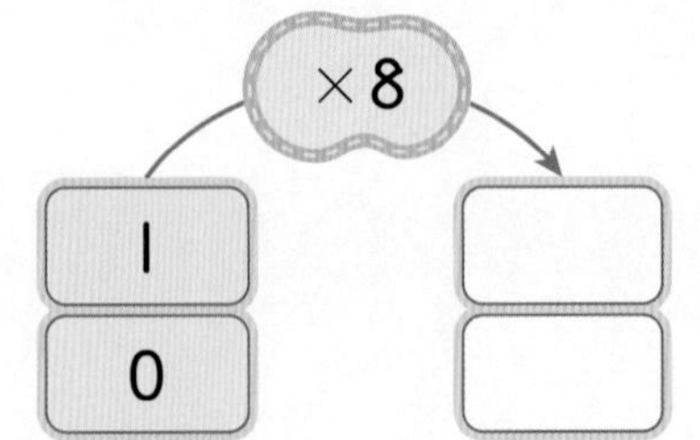

곱셈표를 완성하세요.

9

×	5	2	7	8	1	9	4	3	6
1		2					4		
0				0					0

10

×	1	6	3	9	5	4	2	7	8
1			3		5				
0		0						0	

11

×	8	5	6	2	4	0	1	9	3
1	8					0			
0			0		0				

12

×	2	4	9	1	6	3	5	7	0
1				1				7	
0	0					0			

평가 2. 곱셈구구

□ 안에 알맞은 수를 써넣으세요.

1 2의 □배 ➡ $2\times4=$ □

2 2의 □배 ➡ $2\times7=$ □

3 3의 □배 ➡ $3\times5=$ □

4 3의 □배 ➡ $3\times6=$ □

5 3의 □배 ➡ $3\times9=$ □

6 4의 □배 ➡ $4\times3=$ □

7 4의 □배 ➡ $4\times5=$ □

8 4의 □배 ➡ $4\times8=$ □

9 5의 □배 ➡ $5\times2=$ □

10 5의 □배 ➡ $5\times5=$ □

11 5의 □배 ➡ $5\times7=$ □

12 6의 □배 ➡ $6\times4=$ □

13 6의 □배 ➡ $6\times6=$ □

14 6의 □배 ➡ $6\times8=$ □

15 7의 □배 ➡ $7\times3=$ □

16 7의 □배 ➡ $7\times5=$ □

17 7의 □배 ➡ $7 \times 9 =$ □

18 8의 □배 ➡ $8 \times 1 =$ □

19 8의 □배 ➡ $8 \times 5 =$ □

20 8의 □배 ➡ $8 \times 6 =$ □

21 9의 □배 ➡ $9 \times 4 =$ □

22 9의 □배 ➡ $9 \times 8 =$ □

23 9의 □배 ➡ $9 \times 9 =$ □

24 1의 □배 ➡ $1 \times 2 =$ □

25 1의 □배 ➡ $1 \times 6 =$ □

26 1의 □배 ➡ $1 \times 8 =$ □

□ 안에 알맞은 수를 써넣으세요.

27 $0 \times 5 =$ □

28 $3 \times 0 =$ □

29 $0 \times 6 =$ □

30 $8 \times 0 =$ □

31 $0 \times 1 =$ □

32 $7 \times 0 =$ □

빈 곳에 알맞은 수를 써넣으세요.

33

2	5	
6	8	

34

3	8	
4	8	

35

8	3	
1	9	

36

5	9	
0	9	

곱셈표를 완성하세요.

37

×	6	2	7	3	5
3	18				
5	30				

38

×	1	4	9	8	3
2		8			
7			63		

39

×	5	7	4	6	2
6				36	
9		63			

40

×	3	6	8	4	7
1			8		
0	0				

3 길이 재기

학습 계획표

학습 내용	원리	연습
❶ 길이의 합	Day **41**	Day **42**
❷ 길이의 차	Day **43**	Day **44**
적용	Day **45**	
평가	Day **46**	

학습 관리 **tip** 맨 앞장의 학습 플래너를 이용하여 학습 스케줄을 관리하도록 하세요!

❶ 길이의 합

○ 길이의 합을 계산하는 방법

m는 m끼리, cm는 cm끼리 더합니다.

예 1 m 50 cm+2 m 14 cm의 계산

cm끼리 계산

	1	m	50	cm
+	2	m	14	cm
			64	cm

m끼리 계산

	1	m	50	cm
+	2	m	14	cm
	3	m	64	cm

조심이

세로셈으로 쓸 때에는 자리를 맞추어 써야 해.

	1	m	34	cm
+	2	m	5	cm
	3	m	84	cm

	1	m	34	cm
+	2	m	5	cm
	3	m	39	cm

⁘ 계산을 하세요.

1

	1	m	30	cm
+	1	m	40	cm
		m		cm

2

	1	m	20	cm
+	2	m	50	cm
		m		cm

3

	2	m	15	cm
+	3	m	64	cm
		m		cm

4

	3	m	42	cm
+	1	m	11	cm
		m		cm

5

	4	m	12	cm
+	2	m	13	cm
		m		cm

6

	3	m	51	cm
+	1	m	7	cm
		m		cm

7

	2	m	6	cm
+	4	m	23	cm
		m		cm

8

	3	m	30	cm
+	2	m	2	cm
		m		cm

9

	2	m	50	cm
+	1	m	30	cm
		m		cm

10

	4	m	40	cm
+	2	m	13	cm
		m		cm

11

	2	m	16	cm
+	5	m	52	cm
		m		cm

12

	2	m	25	cm
+	6	m	50	cm
		m		cm

13

	5	m	35	cm
+	1	m	12	cm
		m		cm

14

	4	m	30	cm
+	3	m	26	cm
		m		cm

15

	2	m	31	cm
+	3	m	18	cm
		m		cm

16

	6	m	41	cm
+	1	m	33	cm
		m		cm

17

	4	m	55	cm
+	4	m	30	cm
		m		cm

18

	2	m	34	cm
+	7	m	3	cm
		m		cm

19

	3	m	8	cm
+	2	m	71	cm
		m		cm

20

	5	m	61	cm
+	4	m	4	cm
		m		cm

❶ 길이의 합

계산을 하세요.

1
$$\begin{array}{r} 2\text{ m } 23\text{ cm} \\ +\ 1\text{ m } 50\text{ cm} \\ \hline \end{array}$$

2
$$\begin{array}{r} 3\text{ m } 42\text{ cm} \\ +\ 2\text{ m } 30\text{ cm} \\ \hline \end{array}$$

3
$$\begin{array}{r} 2\text{ m } 50\text{ cm} \\ +\ 4\text{ m } 13\text{ cm} \\ \hline \end{array}$$

4
$$\begin{array}{r} 1\text{ m } 32\text{ cm} \\ +\ 6\text{ m } 46\text{ cm} \\ \hline \end{array}$$

5
$$\begin{array}{r} 5\text{ m } 24\text{ cm} \\ +\ 3\text{ m } 71\text{ cm} \\ \hline \end{array}$$

6
$$\begin{array}{r} 7\text{ m } 38\text{ cm} \\ +\ 2\text{ m } 32\text{ cm} \\ \hline \end{array}$$

7
$$\begin{array}{r} 1\text{ m } 43\text{ cm} \\ +\ 8\text{ m } 25\text{ cm} \\ \hline \end{array}$$

8
$$\begin{array}{r} 3\text{ m } 70\text{ cm} \\ +\ 8\text{ m } 10\text{ cm} \\ \hline \end{array}$$

9
$$\begin{array}{r} 6\text{ m } 27\text{ cm} \\ +\ 5\text{ m } 11\text{ cm} \\ \hline \end{array}$$

10
$$\begin{array}{r} 4\text{ m } 30\text{ cm} \\ +\ 8\text{ m } 45\text{ cm} \\ \hline \end{array}$$

11
$$\begin{array}{r} 7\text{ m } 3\text{ cm} \\ +\ 5\text{ m } 38\text{ cm} \\ \hline \end{array}$$

12
$$\begin{array}{r} 4\text{ m } 55\text{ cm} \\ +\ 6\text{ m } 7\text{ cm} \\ \hline \end{array}$$

13
$$\begin{array}{r} 9\text{ m } 25\text{ cm} \\ +\ 5\text{ m } 9\text{ cm} \\ \hline \end{array}$$

14
$$\begin{array}{r} 8\text{ m } 36\text{ cm} \\ +\ 7\text{ m } 4\text{ cm} \\ \hline \end{array}$$

15 5 m 30 cm+2 m 60 cm

16 4 m 23 cm+5 m 42 cm

17 3 m 52 cm+2 m 20 cm

18 9 m 30 cm+5 m 23 cm

19 6 m 81 cm+7 m 5 cm

20 4 m 8 cm+8 m 31 cm

21 3 m 7 cm+9 m 48 cm

22 선아의 키는 1 m 27 cm이고, 태민이의 키는 1 m 12 cm입니다. 선아와 태민이의 키의 합은 몇 m 몇 cm일까요?

1 m 27 cm+1 m 12 cm=□ m □ cm

답 ______________

정확성 up!

원리 ❷ 길이의 차

⊙ 길이의 차를 계산하는 방법

m는 m끼리, cm는 cm끼리 뺍니다.

예 2 m 70 cm－1 m 30 cm의 계산

cm끼리 계산

	2	m	70	cm
－	1	m	30	cm
			40	cm

➡ m끼리 계산

	2	m	70	cm
－	1	m	30	cm
	1	m	40	cm

조심이

세로셈으로 쓸 때에는 자리를 맞추어 써야 해.

✕

	3	m	50	cm
－	2	m	4	cm
	1	m	10	cm

○

	3	m	50	cm
－	2	m	4	cm
	1	m	46	cm

계산을 하세요.

1

	2	m	90	cm
－	1	m	40	cm
		m		cm

2

	5	m	70	cm
－	3	m	30	cm
		m		cm

3

	4	m	84	cm
－	2	m	21	cm
		m		cm

4

	6	m	59	cm
－	1	m	35	cm
		m		cm

5

	8	m	75	cm
－	4	m	24	cm
		m		cm

6

	7	m	89	cm
－	6	m	81	cm
		m		cm

7

	9	m	64	cm
－	3	m	2	cm
		m		cm

8

	5	m	78	cm
－	2	m	5	cm
		m		cm

9

	4	m	80	cm
−	1	m	20	cm
		m		cm

10

	9	m	56	cm
−	4	m	36	cm
		m		cm

11

	7	m	63	cm
−	2	m	51	cm
		m		cm

12

	6	m	78	cm
−	3	m	13	cm
		m		cm

13

	8	m	54	cm
−	6	m	23	cm
		m		cm

14

	9	m	97	cm
−	2	m	35	cm
		m		cm

15

	8	m	42	cm
−	2	m	11	cm
		m		cm

16

	3	m	78	cm
−	1	m	43	cm
		m		cm

17

	5	m	85	cm
−	4	m	62	cm
		m		cm

18

	9	m	45	cm
−	6	m	2	cm
		m		cm

19

	7	m	69	cm
−	4	m	5	cm
		m		cm

20

	5	m	27	cm
−	4	m	2	cm
		m		cm

연습 ② 길이의 차

계산을 하세요.

1
$$\begin{array}{r} 4\text{ m }80\text{ cm} \\ -\ 3\text{ m }50\text{ cm} \\ \hline \end{array}$$

2
$$\begin{array}{r} 6\text{ m }51\text{ cm} \\ -\ 2\text{ m }30\text{ cm} \\ \hline \end{array}$$

3
$$\begin{array}{r} 9\text{ m }28\text{ cm} \\ -\ 7\text{ m }12\text{ cm} \\ \hline \end{array}$$

4
$$\begin{array}{r} 8\text{ m }35\text{ cm} \\ -\ 4\text{ m }12\text{ cm} \\ \hline \end{array}$$

5
$$\begin{array}{r} 7\text{ m }97\text{ cm} \\ -\ 2\text{ m }63\text{ cm} \\ \hline \end{array}$$

6
$$\begin{array}{r} 6\text{ m }56\text{ cm} \\ -\ 3\text{ m }34\text{ cm} \\ \hline \end{array}$$

7
$$\begin{array}{r} 5\text{ m }64\text{ cm} \\ -\ 1\text{ m }23\text{ cm} \\ \hline \end{array}$$

8
$$\begin{array}{r} 9\text{ m }46\text{ cm} \\ -\ 1\text{ m }3\text{ cm} \\ \hline \end{array}$$

9
$$\begin{array}{r} 7\text{ m }79\text{ cm} \\ -\ 4\text{ m }8\text{ cm} \\ \hline \end{array}$$

10
$$\begin{array}{r} 8\text{ m }85\text{ cm} \\ -\ 2\text{ m }5\text{ cm} \\ \hline \end{array}$$

11
$$\begin{array}{r} 10\text{ m }62\text{ cm} \\ -\ 6\text{ m }31\text{ cm} \\ \hline \end{array}$$

12
$$\begin{array}{r} 12\text{ m }77\text{ cm} \\ -\ 5\text{ m }62\text{ cm} \\ \hline \end{array}$$

13
$$\begin{array}{r} 15\text{ m }49\text{ cm} \\ -\ 9\text{ m }25\text{ cm} \\ \hline \end{array}$$

14
$$\begin{array}{r} 14\text{ m }82\text{ cm} \\ -\ 7\text{ m }51\text{ cm} \\ \hline \end{array}$$

15 6 m 70 cm − 2 m 60 cm

16 8 m 34 cm − 5 m 21 cm

17 16 m 76 cm − 8 m 14 cm

18 13 m 87 cm − 6 m 72 cm

19 9 m 58 cm − 4 m 5 cm

20 7 m 29 cm − 2 m 1 cm

21 5 m 35 cm − 3 m 4 cm

실력 up

22 빨간색 리본의 길이는 3 m 75 cm이고, 파란색 리본의 길이는 1 m 21 cm입니다. 빨간색 리본과 파란색 리본의 길이의 차는 몇 m 몇 cm일까요?

3 m 75 cm − 1 m 21 cm = ☐ m ☐ cm

답 ________

□ 안에 알맞은 수를 써넣으세요.

1 3 m 20 cm

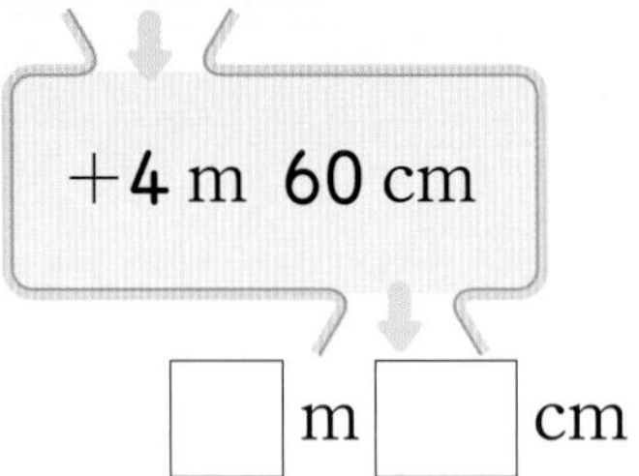

+4 m 60 cm

□ m □ cm

2 1 m 40 cm

+6 m 10 cm

□ m □ cm

3 5 m 52 cm

+4 m 13 cm

□ m □ cm

4 4 m 26 cm

+3 m 72 cm

□ m □ cm

5 6 m 34 cm

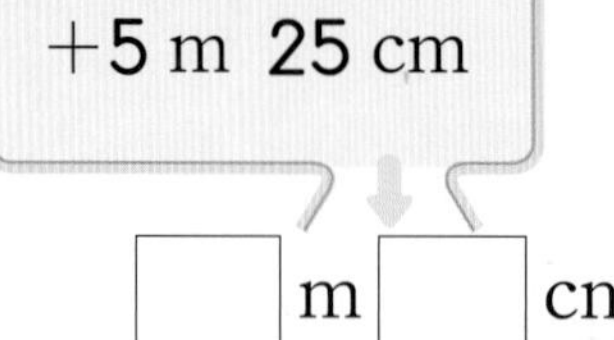

+5 m 25 cm

□ m □ cm

6 2 m 73 cm

+8 m 22 cm

□ m □ cm

7 7 m 5 cm

+6 m 43 cm

□ m □ cm

8 9 m 35 cm

+5 m 2 cm

□ m □ cm

정확성 up!

빈 곳에 두 길이의 차를 써넣으세요.

9

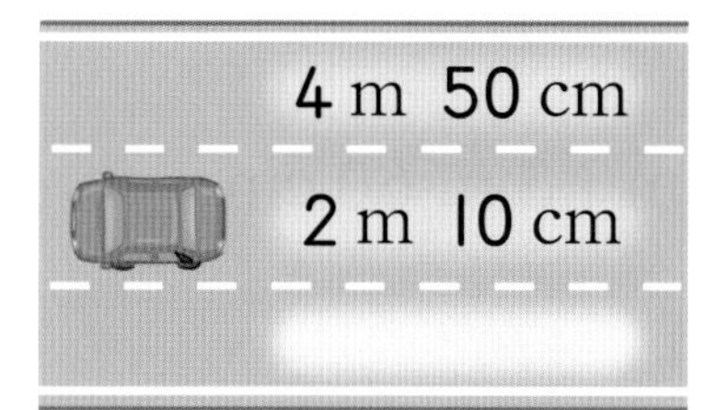

10

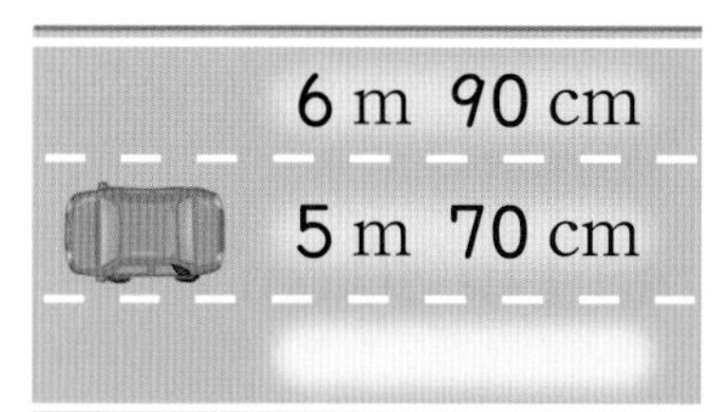

11

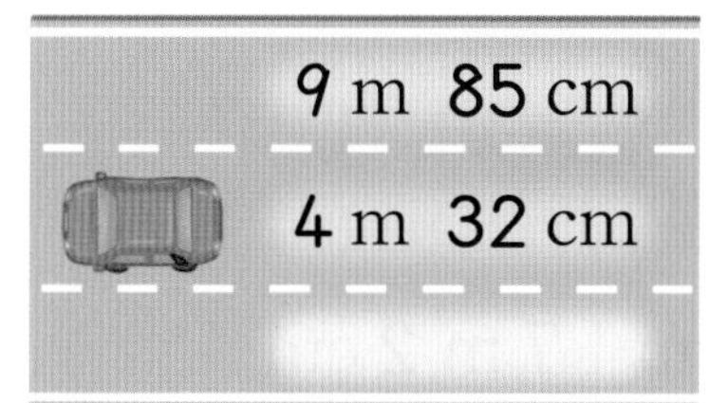

12

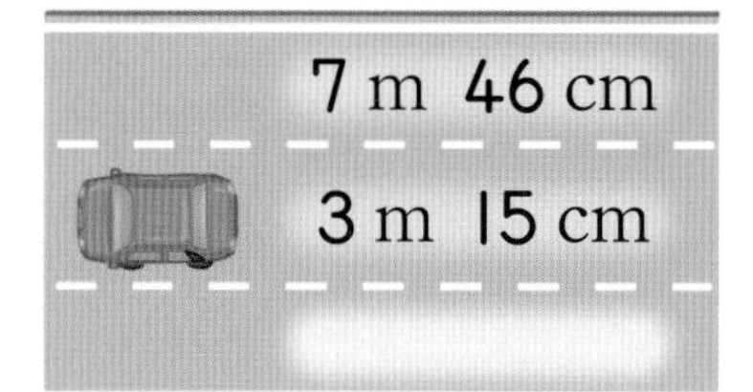

13

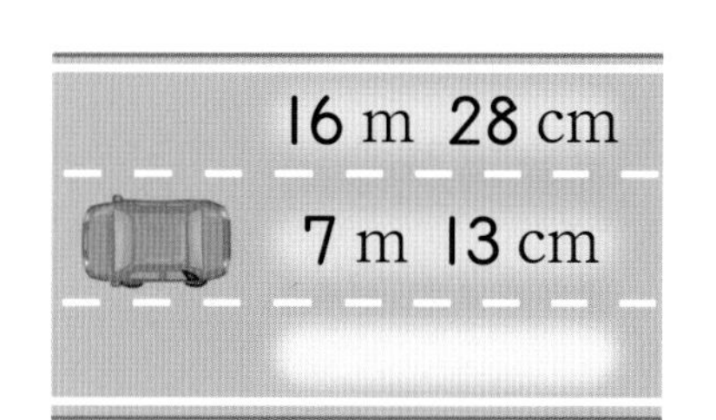

14

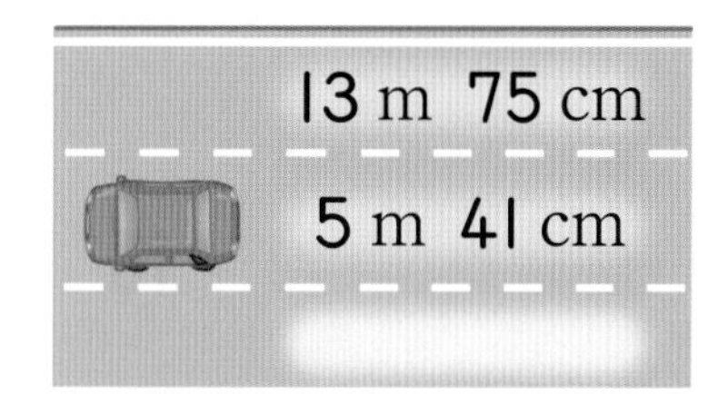

15

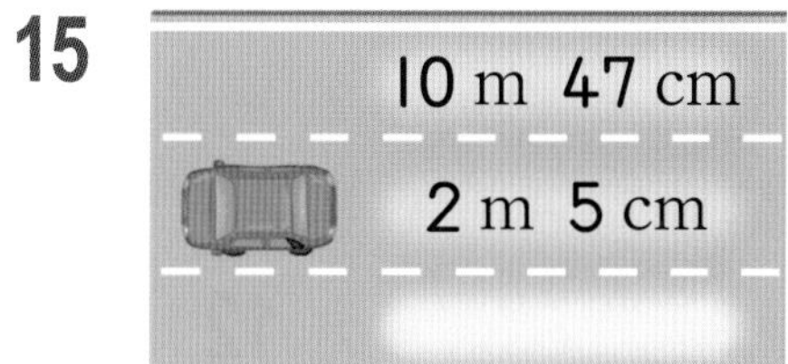

16

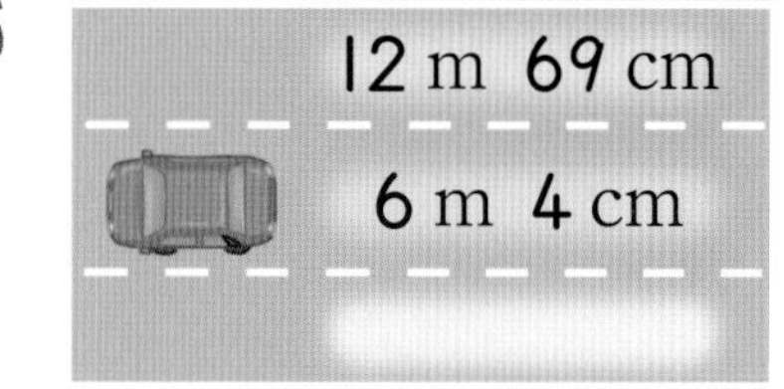

정확성 up!

3. 길이 재기

계산을 하세요.

1

$$\begin{array}{r} 5\text{ m }30\text{ cm} \\ +\ 1\text{ m }40\text{ cm} \\ \hline \end{array}$$

2

$$\begin{array}{r} 2\text{ m }50\text{ cm} \\ +\ 7\text{ m }10\text{ cm} \\ \hline \end{array}$$

3

$$\begin{array}{r} 4\text{ m }62\text{ cm} \\ +\ 3\text{ m }14\text{ cm} \\ \hline \end{array}$$

4

$$\begin{array}{r} 6\text{ m }21\text{ cm} \\ +\ 2\text{ m }73\text{ cm} \\ \hline \end{array}$$

5

$$\begin{array}{r} 1\text{ m }43\text{ cm} \\ +\ 8\text{ m }\ \ 5\text{ cm} \\ \hline \end{array}$$

6

$$\begin{array}{r} 5\text{ m }\ \ 5\text{ cm} \\ +\ 7\text{ m }34\text{ cm} \\ \hline \end{array}$$

7

$$\begin{array}{r} 4\text{ m }57\text{ cm} \\ +\ 6\text{ m }32\text{ cm} \\ \hline \end{array}$$

8 4 m 20 cm+3 m 60 cm

9 2 m 30 cm+6 m 10 cm

10 5 m 28 cm+1 m 30 cm

11 3 m 45 cm+2 m 24 cm

12 2 m 83 cm+7 m 2 cm

13 6 m 7 cm+8 m 41 cm

14 7 m 2 cm+4 m 65 cm

월 일	분	개
학습 날짜	학습 시간	맞힌 개수

15
$$\begin{array}{r} 5\,\text{m}\ 90\,\text{cm} \\ -\ 2\,\text{m}\ 30\,\text{cm} \\ \hline \end{array}$$

16
$$\begin{array}{r} 8\,\text{m}\ 70\,\text{cm} \\ -\ 4\,\text{m}\ 60\,\text{cm} \\ \hline \end{array}$$

17
$$\begin{array}{r} 6\,\text{m}\ 75\,\text{cm} \\ -\ 5\,\text{m}\ 34\,\text{cm} \\ \hline \end{array}$$

18
$$\begin{array}{r} 9\,\text{m}\ 63\,\text{cm} \\ -\ 7\,\text{m}\ 51\,\text{cm} \\ \hline \end{array}$$

19
$$\begin{array}{r} 7\,\text{m}\ 86\,\text{cm} \\ -\ 2\,\text{m}\ \ \ 3\,\text{cm} \\ \hline \end{array}$$

20
$$\begin{array}{r} 15\,\text{m}\ 37\,\text{cm} \\ -\ \ 6\,\text{m}\ \ \ 2\,\text{cm} \\ \hline \end{array}$$

21
$$\begin{array}{r} 14\,\text{m}\ 56\,\text{cm} \\ -\ \ 9\,\text{m}\ \ \ 4\,\text{cm} \\ \hline \end{array}$$

22 6 m 40 cm − 4 m 10 cm

23 8 m 60 cm − 5 m 20 cm

24 7 m 54 cm − 2 m 31 cm

25 9 m 85 cm − 5 m 24 cm

26 5 m 79 cm − 2 m 7 cm

27 12 m 38 cm − 7 m 4 cm

28 13 m 46 cm − 6 m 5 cm

:: □ 안에 알맞은 수를 써넣으세요.

29 7 m 40 cm

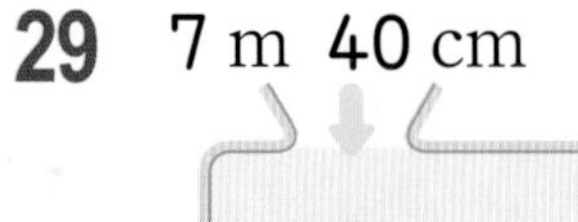

+2 m 30 cm

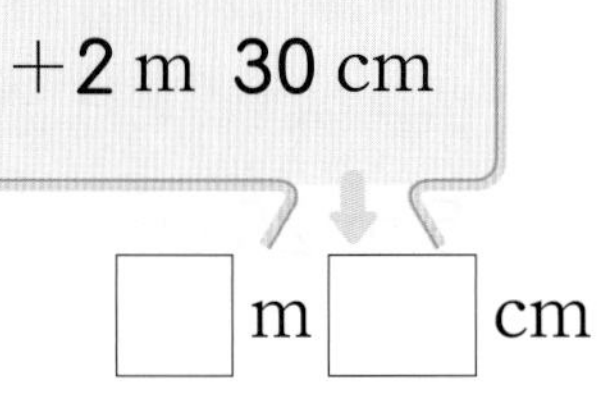

□ m □ cm

30 3 m 50 cm

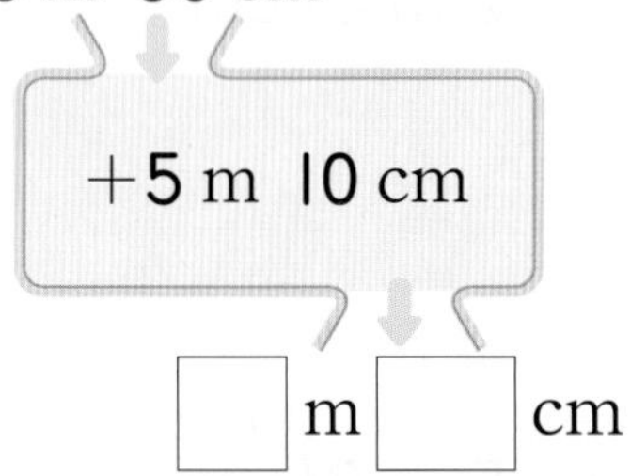

+5 m 10 cm

□ m □ cm

31 1 m 43 cm

+6 m 25 cm

□ m □ cm

32 4 m 17 cm

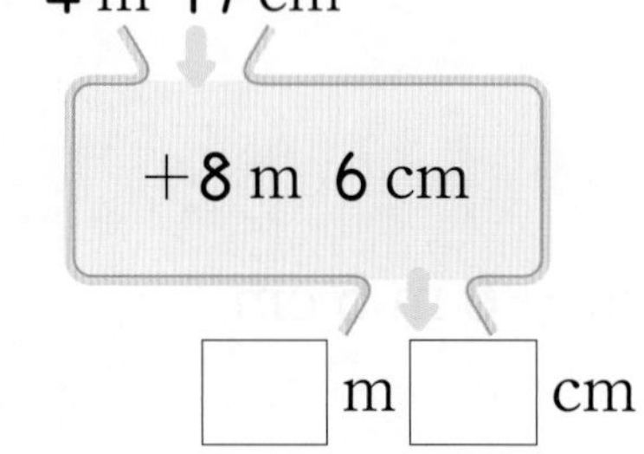

+8 m 6 cm

□ m □ cm

:: 빈 곳에 두 길이의 차를 써넣으세요.

33

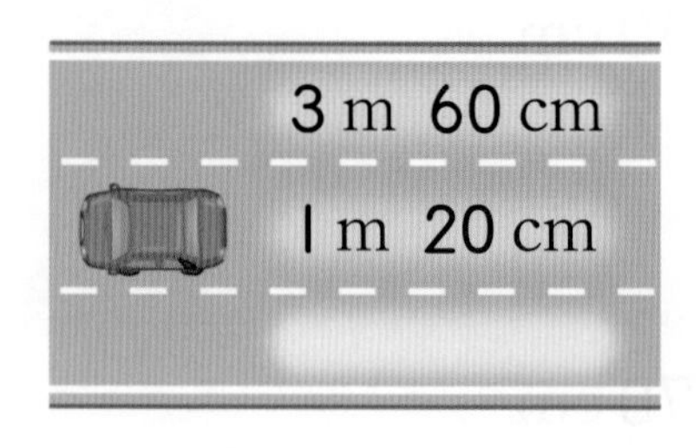

34

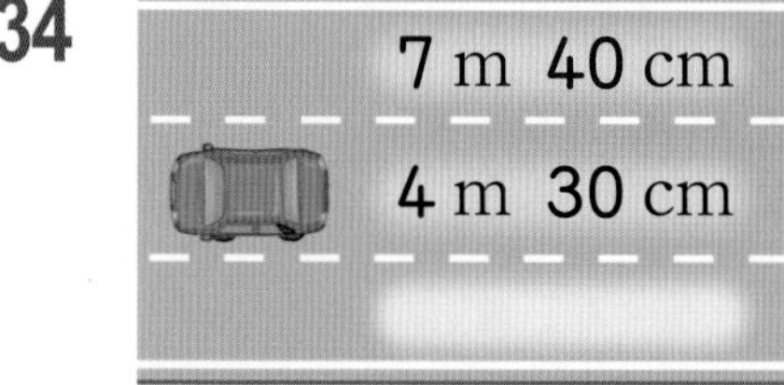

35

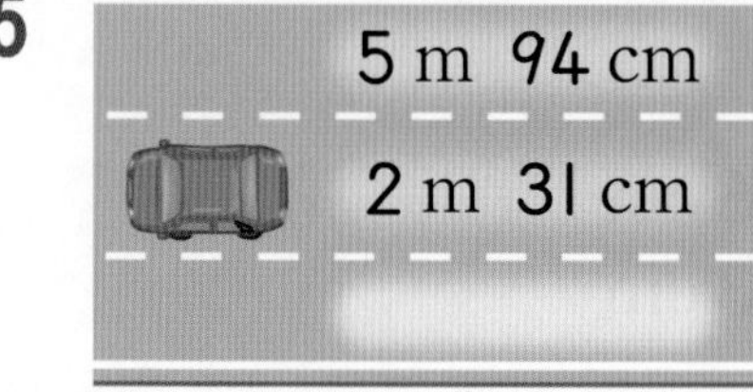

36

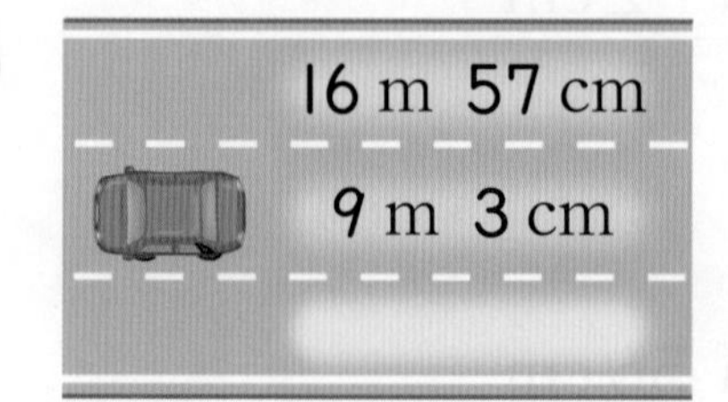

4 시각과 시간

학습 계획표

학습 내용	원리	연습
❶ 시간과 분의 관계	Day **47**	Day **48**
❷ 하루의 시간	Day **49**	Day **50**
❸ 달력 알기	Day **51**	Day **52**
적용	Day **53**	
평가	Day **54**	

학습 관리 **tip** 맨 앞장의 학습 플래너를 이용하여 학습 스케줄을 관리하도록 하세요!

원리

❶ 시간과 분의 관계

원리 동영상 강의

○ 시간과 분의 관계

시계의 긴바늘이 한 바퀴 도는 데 60분의 시간이 걸립니다.

60분=1시간

예 1시간 20분을 ■분으로 나타내기

1시간 20분=60분+20분
=80분

예 150분을 ●시간 ▲분으로 나타내기

150분=60분+60분+30분
=1시간+1시간+30분
=2시간 30분

뿜뿜이

시계의 긴바늘이 한 바퀴를 돌면 짧은바늘은 숫자 한 칸을 움직이는 걸 기억해!

□ 안에 알맞은 수를 써넣으세요.

1 1시간=□분

2 1시간 10분=60분+□분
=□분

3 1시간 5분=60분+□분
=□분

4 1시간 40분=60분+□분
=□분

5 1시간 35분=60분+□분
=□분

6 2시간 10분=60분+60분+□분
=□분

7 2시간 40분=60분+60분+□분
=□분

8 3시간 20분
=60분+60분+60분+□분
=□분

9 80분=60분+☐분
=☐시간 ☐분

10 105분=60분+☐분
=☐시간 ☐분

11 117분=60분+☐분
=☐시간 ☐분

12 125분=60분+60분+☐분
=☐시간 ☐분

13 165분=60분+60분+☐분
=☐시간 ☐분

14 170분=60분+60분+☐분
=☐시간 ☐분

15 135분=60분+60분+☐분
=☐시간 ☐분

16 180분=60분+60분+☐분
=☐시간

17 190분=60분+60분+60분+☐분
=☐시간 ☐분

18 205분=60분+60분+60분+☐분
=☐시간 ☐분

19 235분=60분+60분+60분+☐분
=☐시간 ☐분

20 240분=60분+60분+60분+☐분
=☐시간

❶ 시간과 분의 관계

□ 안에 알맞은 수를 써넣으세요.

1 2시간=□분

2 3시간=□분

3 1시간 30분=□분

4 1시간 52분=□분

5 2시간 20분=□분

6 2시간 36분=□분

7 1시간 48분=□분

8 1시간 27분=□분

9 1시간 55분=□분

10 2시간 30분=□분

11 2시간 57분=□분

12 3시간 5분=□분

13 3시간 29분=□분

14 3시간 46분=□분

15 2시간 41분=□분

16 4시간 25분=□분

17 75분=□시간□분

18 98분=□시간□분

19 113분=□시간□분

20 136분=□시간□분

21 154분=□시간□분

22 123분=□시간□분

23 84분=□시간□분

24 162분=□시간□분

25 175분=□시간□분

26 159분=□시간□분

27 208분=□시간□분

28 226분=□시간□분

29 290분=□시간□분

30 335분=□시간□분

실력 up

31 영은이는 110분 동안 영화를 보았습니다. 영은이가 영화를 본 시간은 몇 시간 몇 분일까요?

110분=60분+□분

=□시간□분

답 ______

② 하루의 시간

날수와 시간의 관계

하루는 24시간입니다.

1일=24시간

예 1일 6시간을 ■시간으로 나타내기

1일 6시간=24시간+6시간
=30시간

예 50시간을 ●일 ▲시간으로 나타내기

50시간=24시간+24시간+2시간
=1일+1일+2시간
=2일 2시간

□ 안에 알맞은 수를 써넣으세요.

1 1일=□시간

2 1일 3시간=24시간+□시간
=□시간

3 1일 9시간=24시간+□시간
=□시간

4 1일 12시간=24시간+□시간
=□시간

5 1일 20시간=24시간+□시간
=□시간

6 2일=24시간+□시간
=□시간

7 2일 6시간
=24시간+24시간+□시간
=□시간

8 2일 10시간
=24시간+24시간+□시간
=□시간

9 2일 15시간
=24시간+24시간+☐시간
=☐시간

10 3일=24시간+24시간+☐시간
=☐시간

11 29시간=24시간+☐시간
=☐일 ☐시간

12 32시간=24시간+☐시간
=☐일 ☐시간

13 40시간=24시간+☐시간
=☐일 ☐시간

14 47시간=24시간+☐시간
=☐일 ☐시간

15 53시간=24시간+24시간+☐시간
=☐일 ☐시간

16 57시간=24시간+24시간+☐시간
=☐일 ☐시간

17 62시간=24시간+24시간+☐시간
=☐일 ☐시간

18 70시간=24시간+24시간+☐시간
=☐일 ☐시간

19 67시간=24시간+24시간+☐시간
=☐일 ☐시간

20 72시간=24시간+24시간+☐시간
=☐일

❷ 하루의 시간

□ 안에 알맞은 수를 써넣으세요.

1 1일 5시간=□시간

2 1일 7시간=□시간

3 1일 10시간=□시간

4 1일 18시간=□시간

5 1일 21시간=□시간

6 2일 4시간=□시간

7 2일 8시간=□시간

8 2일 13시간=□시간

9 2일 19시간=□시간

10 2일 21시간=□시간

11 3일 2시간=□시간

12 3일 8시간=□시간

13 3일 17시간=□시간

14 4일 9시간=□시간

15 5일 11시간=□시간

16 6일 16시간=□시간

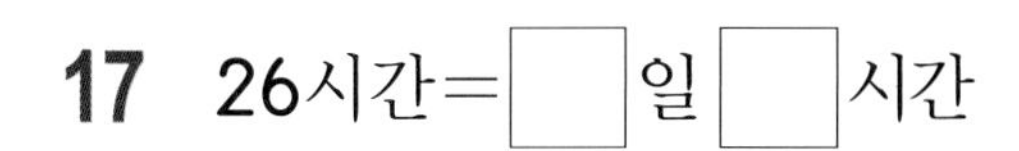

17 26시간=☐일 ☐시간

18 30시간=☐일 ☐시간

19 35시간=☐일 ☐시간

20 41시간=☐일 ☐시간

21 55시간=☐일 ☐시간

22 64시간=☐일 ☐시간

23 71시간=☐일 ☐시간

24 79시간=☐일 ☐시간

25 87시간=☐일 ☐시간

26 92시간=☐일 ☐시간

27 114시간=☐일 ☐시간

28 128시간=☐일 ☐시간

29 157시간=☐일 ☐시간

실력 up

30 정수네 가족은 28시간 동안 부산 여행을 다녀왔습니다. 정수네 가족이 부산 여행을 다녀온 시간은 며칠 몇 시간일까요?

28시간=24시간+☐시간

=☐일 ☐시간

답 ______

원리 ③ 달력 알기

● 1주일 알아보기

1주일=7일

예 2주일 3일을 ■일로 나타내기

2주일 3일=7일+7일+3일=17일

2주일=1주일+1주일

● 1년 알아보기

1년=12개월

예 3년 4개월을 ●개월로 나타내기

3년 4개월=12개월+12개월+12개월+4개월=40개월

3년=1년+1년+1년

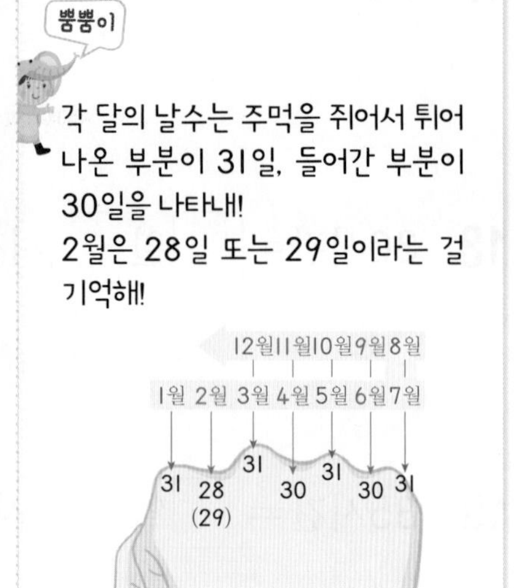

□ 안에 알맞은 수를 써넣으세요.

1 1주일 5일=7일+□일
=□일

2 2주일 2일=7일+7일+□일
=□일

3 2주일 6일=7일+7일+□일
=□일

4 3주일 4일=7일+7일+7일+□일
=□일

5 4주일 3일
=7일+7일+7일+7일+□일
=□일

6 11일=7일+□일
=□주일 □일

7 13일=7일+□일
=□주일 □일

8 19일=7일+7일+□일
=□주일 □일

9 24일=7일+7일+7일+☐일
=☐주일 ☐일

10 33일=7일+7일+7일+7일+☐일
=☐주일 ☐일

11 1년 4개월=12개월+☐개월
=☐개월

12 1년 7개월=12개월+☐개월
=☐개월

13 2년 6개월=12개월+12개월+☐개월
=☐개월

14 2년 10개월
=12개월+12개월+☐개월
=☐개월

15 3년=12개월+12개월+☐개월
=☐개월

16 17개월=12개월+☐개월
=☐년 ☐개월

17 23개월=12개월+☐개월
=☐년 ☐개월

18 27개월=12개월+12개월+☐개월
=☐년 ☐개월

19 33개월=12개월+12개월+☐개월
=☐년 ☐개월

20 38개월
=12개월+12개월+12개월+☐개월
=☐년 ☐개월

❸ 달력 알기

□ 안에 알맞은 수를 써넣으세요.

1 1주일 3일=□일

2 1주일 6일=□일

3 2주일 1일=□일

4 2주일 4일=□일

5 3주일 2일=□일

6 3주일 5일=□일

7 4주일 4일=□일

8 5주일 3일=□일

9 9일=□주일 □일

10 12일=□주일 □일

11 17일=□주일 □일

12 20일=□주일 □일

13 22일=□주일 □일

14 27일=□주일 □일

15 30일=□주일 □일

16 40일=□주일 □일

17 1년 3개월=☐개월

18 1년 6개월=☐개월

19 1년 10개월=☐개월

20 2년 2개월=☐개월

21 2년 5개월=☐개월

22 3년 3개월=☐개월

23 3년 7개월=☐개월

24 4년 6개월=☐개월

25 14개월=☐년 ☐개월

26 21개월=☐년 ☐개월

27 31개월=☐년 ☐개월

28 40개월=☐년 ☐개월

29 53개월=☐년 ☐개월

실력 up

30 오늘은 채은이의 남동생이 태어난 지 60개월 되는 날입니다. 채은이의 남동생이 태어난 지 몇 년 되는 날일까요?

60개월=12개월+12개월+12개월
+12개월+☐개월
=☐년

답 ____________

같은 시간을 나타내는 것끼리 이으세요.

1

1시간 35분 •	• 125분
2시간 5분 •	• 75분
1시간 15분 •	• 95분

2

1시간 30분 •	• 80분
1시간 40분 •	• 100분
1시간 20분 •	• 90분

3

2시간 25분 •	• 115분
2시간 45분 •	• 145분
1시간 55분 •	• 165분

4

2시간 50분 •	• 170분
3시간 10분 •	• 200분
3시간 20분 •	• 190분

□ 안에 알맞은 수를 써넣으세요.

5 1일 → +4시간 → □시간

6 2일 → +7시간 → □시간

7 3일 → +2시간 → □시간

8 33시간 → □일 □시간

9 40시간 → □일 □시간

10 61시간 → □일 □시간

11 79시간 → □일 □시간

12 1주일 ➔ +4일 ➔ ☐일

13 2주일 ➔ +5일 ➔ ☐일

14 3주일 ➔ +3일 ➔ ☐일

15 11일 ➔ ☐주일 ☐일

16 16일 ➔ ☐주일 ☐일

17 26일 ➔ ☐주일 ☐일

18 31일 ➔ ☐주일 ☐일

19 1년 ➔ +9개월 ➔ ☐개월

20

21 3년 ➔ +6개월 ➔ ☐개월

22 22개월 ➔ ☐년 ☐개월

23 32개월 ➔ ☐년 ☐개월

24 41개월 ➔ ☐년 ☐개월

25 55개월 ➔ ☐년 ☐개월

4. 시각과 시간

□ 안에 알맞은 수를 써넣으세요.

1 1시간 10분=□분

2 1시간 26분=□분

3 2시간 43분=□분

4 3시간 9분=□분

5 117분=□시간 □분

6 95분=□시간 □분

7 135분=□시간 □분

8 200분=□시간 □분

9 1일 15시간=□시간

10 1일 20시간=□시간

11 2일 9시간=□시간

12 3일 11시간=□시간

13 27시간=□일 □시간

14 42시간=□일 □시간

15 67시간=□일 □시간

16 88시간=□일 □시간

17 1주일 2일=☐일

18 1주일 4일=☐일

19 2주일 3일=☐일

20 3주일 6일=☐일

21 10일=☐주일 ☐일

22 19일=☐주일 ☐일

23 25일=☐주일 ☐일

24 34일=☐주일 ☐일

25 1년 11개월=☐개월

26 1년 9개월=☐개월

27 2년 7개월=☐개월

28 3년 10개월=☐개월

29 20개월=☐년 ☐개월

30 35개월=☐년 ☐개월

31 45개월=☐년 ☐개월

32 54개월=☐년 ☐개월

:: 같은 시간을 나타내는 것끼리 이으세요.

33

1시간 28분 •	• 108분
1시간 48분 •	• 98분
1시간 38분 •	• 88분

34

2시간 55분 •	• 185분
3시간 5분 •	• 175분
2시간 35분 •	• 155분

:: □ 안에 알맞은 수를 써넣으세요.

35 3일 ➔ +5시간 ➔ □시간

36 4주일 ➔ +2일 ➔ □일

37 2년 ➔ +9개월 ➔ □개월

38 45시간 ➔ □일 □시간

39 53시간 ➔ □일 □시간

40 15일 ➔ □주일 □일

41 26일 ➔ □주일 □일

42 23개월 ➔ □년 □개월

43 46개월 ➔ □년 □개월

Memo

Memo

바른 계산, **빠른** 연산!

초능력

동아출판

차례

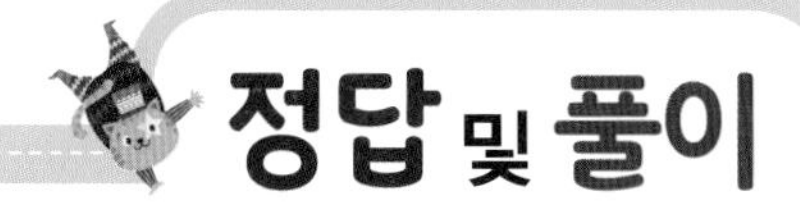

1 네 자리 수

8~9쪽 원리 ❶

1 100 / 1000
2 200 / 1000
3 30 / 1000
4 2 / 1000
5 0, 10, 0, 0 / 1000
6 1, 0, 0, 0 / 1000
7 2, 0, 0, 0 / 2000
8 4, 0, 0, 0 / 4000
9 5, 0, 0, 0 / 5000
10 7, 0, 0, 0 / 7000
11 8, 0, 0, 0 / 8000

5 백 모형이 10개이면 1000입니다.
6 천 모형이 1개이면 1000입니다.
10 천 모형이 7개이면 7000입니다.
11 천 모형이 8개이면 8000입니다.

10~11쪽 연습 ❶

1 1000
2 1000
3 2000
4 5000
5 8000
6 3000
7 4000
8 6000
9 7000
10 9000
11 천
12 사천
13 이천
14 구천
15 육천
16 팔천
17 삼천
18 5000
19 3000
20 7000
21 2000
22 9000
23 4000, 사천

12~13쪽 원리 ❷

1 1, 2, 6, 1 / 1261
2 2, 2, 1, 7 / 2217
3 3, 1, 2, 0 / 3120
4 4, 0, 3, 2 / 4032
5 5, 4, 8, 3 / 5483
6 6, 3, 7, 7 / 6377
7 7, 2, 5, 9 / 7259
8 8, 2, 1, 4 / 8214
9 9, 1, 3, 5 / 9135

14~15쪽 연습 ❷

1 3582
2 1496
3 7218
4 5936
5 2721
6 4539
7 6485
8 9374
9 8026
10 3705
11 이천사백칠십삼
12 사천구백십육
13 육천팔백오십일
14 삼천칠백이십구
15 구천백삼십팔
16 칠천이백사
17 팔천이백육
18 1549
19 9263
20 7158
21 5036
22 2780, 이천칠백팔십

16~17쪽 원리 ❸

1 40, 7 / 1000, 600, 40, 7
2 200, 30, 8 / 5000, 200, 30, 8
3 4, 9 / 6000, 500, 40, 9 / 6000, 500, 40, 9
4 2, 3, 9, 7 / 2000, 300, 90, 7 / 2000, 300, 90, 7
5 8, 4, 2, 6 / 8000, 400, 20, 6 / 8000, 400, 20, 6
6 7, 3, 0, 5 / 7000, 300, 0, 5 / 7000, 300, 0, 5
7 9, 0, 2, 4 / 9000, 0, 20, 4 / 9000, 0, 20, 4
8 4, 2, 8, 0 / 4000, 200, 80, 0 / 4000, 200, 80, 0

18~19쪽 연습 ❸

1 2, 1, 6, 8
2 5, 7, 2, 9
3 8, 3, 4, 6
4 1, 5, 3, 7
5 3, 4, 7, 2
6 6, 9, 5, 1
7 7, 3, 0, 8
8 4, 9, 2, 5
9 4000
10 20
11 800
12 9
13 70
14 6
15 1000
16 500
17 70
18 3
19 5000
20 600
21 6000, 50

20 밑줄 친 숫자 6은 백의 자리 숫자이므로 600을 나타냅니다.

21 6457
→ 천의 자리 숫자, 6000
→ 십의 자리 숫자, 50

20~21쪽 원리 ❹

1 7000, 8000, 9000
2 5500, 6500, 7500
3 6038, 7038, 8038
4 7416, 8416, 9416
5 5829, 6829, 7829
6 6528, 6628, 6728
7 4557, 4857, 4957
8 5391, 5591, 5691
9 7436, 7446, 7466
10 3538, 3548, 3568
11 9014, 9016, 9017
12 1524, 1527, 1528, 1529

22~23쪽 연습 ❹

1 1000
2 100
3 10
4 1
5 100
6 1000
7 1
8 10
9 1000
10 10
11 1
12 100
13 5512, 5712
14 4746, 6746
15 1622, 1642
16 8717, 8719
17 4660, 4860
18 9251, 9271
19 2094, 5094
20 7326, 7329
21 6314, 6614
22 4591, 7591
23 5301

6 천의 자리 수가 1씩 커지므로 1000씩 뛰어서 센 것입니다.
7 일의 자리 수가 1씩 커지므로 1씩 뛰어서 센 것입니다.
8 십의 자리 수가 1씩 커지므로 10씩 뛰어서 센 것입니다.

9 천의 자리 수가 1씩 커지므로 1000씩 뛰어서 센 것입니다.

10 십의 자리 수가 1씩 커지므로 10씩 뛰어서 센 것입니다.

11 일의 자리 수가 1씩 커지므로 1씩 뛰어서 센 것입니다.

12 백의 자리 수가 1씩 커지므로 100씩 뛰어서 센 것입니다.

17 백의 자리 수가 1씩 커지므로 100씩 뛰어서 센 것입니다.

18 십의 자리 수가 1씩 커지므로 10씩 뛰어서 센 것입니다.

19 천의 자리 수가 1씩 커지므로 1000씩 뛰어서 센 것입니다.

20 일의 자리 수가 1씩 커지므로 1씩 뛰어서 센 것입니다.

21 백의 자리 수가 1씩 커지므로 100씩 뛰어서 센 것입니다.

22 천의 자리 수가 1씩 커지므로 1000씩 뛰어서 센 것입니다.

24~25쪽 **원리 ❺**

1 6, 1, 0, 8 / <
2 7, 3, 9, 2 / >
3 2, 6, 4, 7 / <
4 5, 1, 3, 8 / >
5 8, 9, 1, 8 / 8, 9, 4, 5 / <
6 3, 4, 1, 6 / 3, 2, 7, 0 / >
7 7, 2, 1, 3 / 4, 9, 0, 5 / >
8 6, 1, 3, 5 / 6, 1, 3, 8 / <
9 1, 4, 5, 3 / 1, 4, 7, 0 / <
10 4, 6, 1, 9 / 4, 2, 8, 6 / >

26~27쪽 **연습 ❺**

1 <
2 >
3 <
4 >
5 <
6 <
7 >
8 <
9 <
10 <
11 >
12 >
13 <
14 <
15 >
16 <
17 >
18 <
19 <
20 >
21 <
22 <
23 >
24 <
25 >
26 <
27 > / 선아

3 $7423<7490$
$2<9$

4 $3159>2848$
$3>2$

5 $6048<6049$
$8<9$

6 $4227<4231$
$2<3$

7 $8516>5972$
$8>5$

15 $5519>5516$
$9>6$

16 $7438<9123$
$7<9$

17 $4516>4271$
$5>2$

18 $2392<2403$
$3<4$

19 $6458<6470$
$5<7$

20 $8793>4392$
$8>4$

21 $9135<9138$
$5<8$

28~29쪽 **적용**

1 2000
2 6000
3 8000
4 9000
5 5273 / 오천이백칠십삼
6 8146 / 팔천백사십육
7 2654 / 이천육백오십사
8 7329 / 칠천삼백이십구
9 2565, 2574, 2664
10 5329, 5419, 6319
11 8248, 8347, 9247
12 6054, 6063, 7053
13 4981, 5071, 5971
14 7126
15 2867
16 5642
17 3469
18 9258
19 8643

4 1000이 9개이면 9000이므로 9000원입니다.

5 1000이 5개이면 5000
100이 2개이면 200
10이 7개이면 70
1이 3개이면 3
―――――――
5273

6 1000이 8개이면 8000
100이 1개이면 100
10이 4개이면 40
1이 6개이면 6
―――――――
8146

7 1000이 2개이면 2000
100이 6개이면 600
10이 5개이면 50
1이 4개이면 4
―――――――
2654

8 1000이 7개이면 7000
100이 3개이면 300
10이 2개이면 20
1이 9개이면 9
―――――――
7329

9 2564 —1 큰 수→ 2565,
2564 —10 큰 수→ 2574,
2564 —100 큰 수→ 2664

10 5319 —10 큰 수→ 5329,
5319 —100 큰 수→ 5419,
5319 —1000 큰 수→ 6319

11 8247 —1 큰 수→ 8248,
8247 —100 큰 수→ 8347,
8247 —1000 큰 수→ 9247

12 6053 —1 큰 수→ 6054,
6053 —10 큰 수→ 6063,
6053 —1000 큰 수→ 7053

13 4971 —10 큰 수→ 4981,
4971 —100 큰 수→ 5071,
4971 —1000 큰 수→ 5971

14 천의 자리 수를 비교하면 4<7이므로 4903<7126입니다.

15 천의 자리, 백의 자리 수가 같으므로 십의 자리 수를 비교하면 6>5이므로 2867>2854입니다.

16 천의 자리 수가 같으므로 백의 자리 수를 비교하면 1<6이므로 5137<5642입니다.

17 천의 자리 수를 비교하면 3>1이므로 3469>1887입니다.

18 천의 자리, 백의 자리, 십의 자리 수가 같으므로 일의 자리 수를 비교하면 8>6이므로 9258>9256입니다.

19 천의 자리 수가 같으므로 백의 자리 수를 비교하면 4<6이므로 8465<8643입니다.

30~32쪽 **평가**

1 1000
2 5000
3 9000
4 칠천
5 4000
6 2491
7 8356
8 4703
9 삼천백육십구
10 6715
11 5, 2, 3, 7
12 9, 4, 6, 1
13 2000
14 70
15 600
16 1
17 100
18 7659, 7679
19 6102, 9102
20 $<$
21 $>$
22 $<$
23 4000
24 7000
25 6534 / 육천오백삼십사
26 2719 / 이천칠백십구
27 5125, 5134, 5224
28 1379, 1469, 2369
29 4824, 4833, 5823
30 9011
31 8409

16 일의 자리 수가 1씩 커지므로 1씩 뛰어서 센 것입니다.

17 백의 자리 수가 1씩 커지므로 100씩 뛰어서 센 것입니다.

18 십의 자리 수가 1씩 커지므로 10씩 뛰어서 센 것입니다.

19 천의 자리 수가 1씩 커지므로 1000씩 뛰어서 센 것입니다.

20 $9352<9417$
$3<4$

21 $4003>2869$
$4>2$

22 $1586<1589$
$6<9$

23 1000이 4개이면 4000이므로 4000원입니다.

24 1000이 7개이면 7000이므로 7000원입니다.

25 1000이 6개이면 6000
100이 5개이면 500
10이 3개이면 30
1이 4개이면 4
6534

26 1000이 2개이면 2000
100이 7개이면 700
10이 1개이면 10
1이 9개이면 9
2719

27 5124 —1 큰 수→ 5125,
5124 —10 큰 수→ 5134,
5124 —100 큰 수→ 5224

28 1369 —10 큰 수→ 1379,
1369 —100 큰 수→ 1469,
1369 —1000 큰 수→ 2369

29 4823 —1 큰 수→ 4824,
4823 —10 큰 수→ 4833,
4823 —1000 큰 수→ 5823

30 천의 자리 수를 비교하면 $7<9$이므로 $7123<9011$입니다.

31 천의 자리 수가 같으므로 백의 자리 수를 비교하면 $4>1$이므로 $8409>8197$입니다.

2 곱셈구구

34~35쪽 원리 ❶

1	2	12	3, 6
2	4, 4	13	5, 10
3	6, 6	14	9, 18
4	8, 8	15	6, 12
5	10, 10	16	2, 2, 16
6	12, 12	17	2, 4
7	14, 14	18	2, 2, 14
8	16, 16	19	2, 2, 10
9	18, 18	20	2, 2, 8
10	4, 8	21	2, 2, 6
11	7, 14		

10 2씩 4번 더하면 8입니다.
11 2씩 7번 더하면 14입니다.
12 2씩 3번 더하면 6입니다.
13 2씩 5번 더하면 10입니다.
16 2씩 8번 더하면 16입니다.
17 2씩 2번 더하면 4입니다.
18 2씩 7번 더하면 14입니다.
19 2씩 5번 더하면 10입니다.

36~37쪽 연습 ❶

1	2	6	6, 12
2	4	7	7, 14
3	3, 6	8	8, 16
4	4, 8	9	9, 18
5	5, 10	10	14 / 14개

1 2씩 1번 뛰어 세면 2입니다.
2 2씩 2번 뛰어 세면 4입니다.
3 2씩 3번 뛰어 세면 6입니다.
4 2씩 4번 뛰어 세면 8입니다.
5 2씩 5번 뛰어 세면 10입니다.
6 2씩 6번 뛰어 세면 12입니다.
7 2씩 7번 뛰어 세면 14입니다.
8 2씩 8번 뛰어 세면 16입니다.
9 2씩 9번 뛰어 세면 18입니다.

38~39쪽 적용 ❶

1 8
2 14
3 6
4 12
5 10
6 18
7 4
8 16
9 2, 6, 16, 12, 18, 14, 8
10 10, 12, 18, 4, 14, 2, 16
11 8, 10, 6, 14, 2, 16, 12
12 16, 4, 12, 2, 18, 6, 8
13 14, 6, 8, 10, 16, 18, 4

1 $2\times4=8$
2 $2\times7=14$
3 $2\times3=6$
4 $2\times6=12$
5 $2\times5=10$
6 $2\times9=18$
7 $2\times2=4$
8 $2\times8=16$

9 $2\times1=2$, $2\times3=6$, $2\times8=16$, $2\times6=12$, $2\times9=18$, $2\times7=14$, $2\times4=8$

10 $2\times5=10$, $2\times6=12$, $2\times9=18$, $2\times2=4$, $2\times7=14$, $2\times1=2$, $2\times8=16$

11 $2\times4=8$, $2\times5=10$, $2\times3=6$, $2\times7=14$, $2\times1=2$, $2\times8=16$, $2\times6=12$

12 $2\times8=16$, $2\times2=4$, $2\times6=12$, $2\times1=2$, $2\times9=18$, $2\times3=6$, $2\times4=8$

13 $2\times7=14$, $2\times3=6$, $2\times4=8$, $2\times5=10$, $2\times8=16$, $2\times9=18$, $2\times2=4$

40~41쪽 **원리 ❷**

1 3
2 6, 6
3 9, 9
4 12, 12
5 15, 15
6 18, 18
7 21, 21
8 24, 24
9 27, 27
10 5, 15
11 3, 9
12 6, 18
13 9, 27
14 7, 21
15 2, 6
16 3, 3, 12
17 3, 3, 24
18 3, 3, 15
19 3, 3, 18
20 3, 3, 21
21 3, 3, 9

10 3씩 5번 더하면 15입니다.
11 3씩 3번 더하면 9입니다.
12 3씩 6번 더하면 18입니다.
13 3씩 9번 더하면 27입니다.
16 3씩 4번 더하면 12입니다.
17 3씩 8번 더하면 24입니다.
18 3씩 5번 더하면 15입니다.
19 3씩 6번 더하면 18입니다.

42~43쪽 **연습 ❷**

1 3
2 6
3 3, 9
4 4, 12
5 5, 15
6 6, 18
7 7, 21
8 8, 24
9 9, 27
10 18 / 18송이

3 3씩 3번 뛰어 세면 9입니다.
4 3씩 4번 뛰어 세면 12입니다.
5 3씩 5번 뛰어 세면 15입니다.
6 3씩 6번 뛰어 세면 18입니다.
7 3씩 7번 뛰어 세면 21입니다.
8 3씩 8번 뛰어 세면 24입니다.
9 3씩 9번 뛰어 세면 27입니다.

44~45쪽 **적용 ❷**

1 12
2 27
3 6
4 21
5 18
6 3
7 24
8 9
9 6, 18, 27, 21, 9, 3, 24
10 18, 15, 9, 3, 24, 6, 27
11 6, 15, 9, 18, 12, 3, 27
12 6, 9, 27, 15, 12, 3, 18
13 3, 12, 21, 9, 6, 18, 15

1 3×4=12
2 3×9=27
3 3×2=6
4 3×7=21
5 3×6=18
6 3×1=3
7 3×8=24
8 3×3=9
9 3×2=6, 3×6=18, 3×9=27, 3×7=21, 3×3=9, 3×1=3, 3×8=24
10 3×6=18, 3×5=15, 3×3=9, 3×1=3, 3×8=24, 3×2=6, 3×9=27
11 3×2=6, 3×5=15, 3×3=9, 3×6=18, 3×4=12, 3×1=3, 3×9=27
12 3×2=6, 3×3=9, 3×9=27, 3×5=15, 3×4=12, 3×1=3, 3×6=18
13 3×1=3, 3×4=12, 3×7=21, 3×3=9, 3×2=6, 3×6=18, 3×5=15

46~47쪽 원리 ❸

1 4
2 8, 8
3 12, 12
4 16, 16
5 20, 20
6 24, 24
7 28, 28
8 32, 32
9 36, 36
10 6, 24
11 3, 12
12 9, 36
13 7, 28
14 2, 8
15 5, 20
16 4, 4, 32
17 4, 4, 16
18 4, 4, 24
19 4, 4, 12
20 4, 4, 36
21 4, 4, 28

10 4씩 6번 더하면 24입니다.
11 4씩 3번 더하면 12입니다.
12 4씩 9번 더하면 36입니다.
13 4씩 7번 더하면 28입니다.
16 4씩 8번 더하면 32입니다.
17 4씩 4번 더하면 16입니다.
18 4씩 6번 더하면 24입니다.
19 4씩 3번 더하면 12입니다.

48~49쪽 연습 ❸

1 4
2 8
3 3, 12
4 4, 16
5 5, 20
6 6, 24
7 7, 28
8 8, 32
9 9, 36
10 32 / 32장

2 4씩 2번 뛰어 세면 8입니다.
3 4씩 3번 뛰어 세면 12입니다.
4 4씩 4번 뛰어 세면 16입니다.
5 4씩 5번 뛰어 세면 20입니다.
6 4씩 6번 뛰어 세면 24입니다.
7 4씩 7번 뛰어 세면 28입니다.
8 4씩 8번 뛰어 세면 32입니다.
9 4씩 9번 뛰어 세면 36입니다.

50~51쪽 적용 ❸

1 16
2 8
3 36
4 20
5 28
6 12
7 24
8 32
9 36, 24, 8, 16, 20, 4, 32
10 12, 20, 28, 8, 16, 24, 32
11 8, 36, 24, 32, 20, 12, 4
12 20, 28, 8, 4, 16, 24, 36
13 12, 16, 28, 24, 20, 4, 8

3 $4\times9=36$
4 $4\times5=20$
5 $4\times7=28$
6 $4\times3=12$
7 $4\times6=24$
8 $4\times8=32$
9 $4\times9=36$, $4\times6=24$, $4\times2=8$, $4\times4=16$, $4\times5=20$, $4\times1=4$, $4\times8=32$
10 $4\times3=12$, $4\times5=20$, $4\times7=28$, $4\times2=8$, $4\times4=16$, $4\times6=24$, $4\times8=32$
11 $4\times2=8$, $4\times9=36$, $4\times6=24$, $4\times8=32$, $4\times5=20$, $4\times3=12$, $4\times1=4$
12 $4\times5=20$, $4\times7=28$, $4\times2=8$, $4\times1=4$, $4\times4=16$, $4\times6=24$, $4\times9=36$
13 $4\times3=12$, $4\times4=16$, $4\times7=28$, $4\times6=24$, $4\times5=20$, $4\times1=4$, $4\times2=8$

52~53쪽 원리 ❹

1 5
2 10, 10
3 15, 15
4 20, 20
5 25, 25
6 30, 30
7 35, 35
8 40, 40
9 45, 45
10 2, 10
11 4, 20
12 8, 40
13 3, 15
14 7, 35
15 6, 30
16 5, 5, 25
17 5, 5, 45
18 5, 5, 20
19 5, 5, 35
20 5, 5, 30
21 5, 10

10 5씩 2번 더하면 10입니다.
11 5씩 4번 더하면 20입니다.
12 5씩 8번 더하면 40입니다.
13 5씩 3번 더하면 15입니다.
16 5씩 5번 더하면 25입니다.
17 5씩 9번 더하면 45입니다.
18 5씩 4번 더하면 20입니다.
19 5씩 7번 더하면 35입니다.

54~55쪽 연습 ❹

1 5
2 10
3 3, 15
4 4, 20
5 5, 25
6 6, 30
7 7, 35
8 8, 40
9 9, 45
10 10 / 10명

2 5씩 2번 뛰어 세면 10입니다.
3 5씩 3번 뛰어 세면 15입니다.
4 5씩 4번 뛰어 세면 20입니다.
5 5씩 5번 뛰어 세면 25입니다.
6 5씩 6번 뛰어 세면 30입니다.
7 5씩 7번 뛰어 세면 35입니다.
8 5씩 8번 뛰어 세면 40입니다.
9 5씩 9번 뛰어 세면 45입니다.

9 $5\times2=10$, $5\times4=20$, $5\times9=45$, $5\times1=5$, $5\times3=15$, $5\times5=25$, $5\times7=35$
10 $5\times3=15$, $5\times5=25$, $5\times1=5$, $5\times7=35$, $5\times2=10$, $5\times8=40$, $5\times6=30$
11 $5\times8=40$, $5\times4=20$, $5\times6=30$, $5\times1=5$, $5\times5=25$, $5\times7=35$, $5\times9=45$
12 $5\times6=30$, $5\times8=40$, $5\times1=5$, $5\times9=45$, $5\times4=20$, $5\times7=35$, $5\times3=15$
13 $5\times7=35$, $5\times4=20$, $5\times6=30$, $5\times5=25$, $5\times1=5$, $5\times2=10$, $5\times9=45$

56~57쪽 적용 ❹

1 (위에서부터) 45, 25
2 (위에서부터) 15, 5
3 (위에서부터) 10, 20
4 (위에서부터) 40, 15
5 (위에서부터) 20, 40
6 (위에서부터) 30, 10
7 (위에서부터) 35, 30
8 (위에서부터) 5, 45
9 10, 20, 45, 5, 15, 25, 35
10 15, 25, 5, 35, 10, 40, 30
11 40, 20, 30, 5, 25, 35, 45
12 30, 40, 5, 45, 20, 35, 15
13 35, 20, 30, 25, 5, 10, 45

1 $5\times9=45$, $5\times5=25$
2 $5\times3=15$, $5\times1=5$
3 $5\times2=10$, $5\times4=20$
4 $5\times8=40$, $5\times3=15$
5 $5\times4=20$, $5\times8=40$
6 $5\times6=30$, $5\times2=10$
7 $5\times7=35$, $5\times6=30$
8 $5\times1=5$, $5\times9=45$

58~59쪽 원리 ❺

1 6
2 12, 12
3 18, 18
4 24, 24
5 30, 30
6 36, 36
7 42, 42
8 48, 48
9 54, 54
10 2, 12
11 5, 30
12 8, 48
13 4, 24
14 7, 42
15 3, 18
16 6, 6, 36
17 6, 6, 54
18 6, 12
19 6, 6, 24
20 6, 6, 42
21 6, 6, 30

10 6씩 2번 더하면 12입니다.
11 6씩 5번 더하면 30입니다.
12 6씩 8번 더하면 48입니다.
13 6씩 4번 더하면 24입니다.
16 6씩 6번 더하면 36입니다.
17 6씩 9번 더하면 54입니다.
18 6씩 2번 더하면 12입니다.
19 6씩 4번 더하면 24입니다.

60~61쪽 **연습 5**

1 6
2 12
3 3, 18
4 4, 24
5 5, 30
6 6, 36
7 7, 42
8 8, 48
9 9, 54
10 24 / 24명

2 6씩 2번 뛰어 세면 12입니다.
3 6씩 3번 뛰어 세면 18입니다.
4 6씩 4번 뛰어 세면 24입니다.
5 6씩 5번 뛰어 세면 30입니다.
6 6씩 6번 뛰어 세면 36입니다.
7 6씩 7번 뛰어 세면 42입니다.
8 6씩 8번 뛰어 세면 48입니다.
9 6씩 9번 뛰어 세면 54입니다.

62~63쪽 **적용 5**

1 18
2 54
3 12
4 36
5 30
6 42
7 24
8 48
9 36, 48, 6, 12, 24, 42, 54
10 6, 30, 54, 36, 18, 24, 42
11 12, 6, 48, 18, 54, 30, 36
12 54, 6, 30, 36, 12, 18, 48
13 12, 48, 54, 36, 42, 6, 30

1 $6\times3=18$
2 $6\times9=54$
3 $6\times2=12$
4 $6\times6=36$
5 $6\times5=30$
6 $6\times7=42$
7 $6\times4=24$
8 $6\times8=48$
9 $6\times6=36$, $6\times8=48$, $6\times1=6$, $6\times2=12$, $6\times4=24$, $6\times7=42$, $6\times9=54$
10 $6\times1=6$, $6\times5=30$, $6\times9=54$, $6\times6=36$, $6\times3=18$, $6\times4=24$, $6\times7=42$
11 $6\times2=12$, $6\times1=6$, $6\times8=48$, $6\times3=18$, $6\times9=54$, $6\times5=30$, $6\times6=36$
12 $6\times9=54$, $6\times1=6$, $6\times5=30$, $6\times6=36$, $6\times2=12$, $6\times3=18$, $6\times8=48$
13 $6\times2=12$, $6\times8=48$, $6\times9=54$, $6\times6=36$, $6\times7=42$, $6\times1=6$, $6\times5=30$

64~65쪽 **원리 6**

1 7
2 14, 14
3 21, 21
4 28, 28
5 35, 35
6 42, 42
7 49, 49
8 56, 56
9 63, 63
10 7, 49
11 5, 35
12 3, 21
13 4, 28
14 8, 56
15 2, 14
16 7, 7, 42
17 7, 7, 35
18 7, 7, 63
19 7, 7, 49
20 7, 7, 28
21 7, 7, 21

10 7씩 7번 더하면 49입니다.
11 7씩 5번 더하면 35입니다.
12 7씩 3번 더하면 21입니다.
13 7씩 4번 더하면 28입니다.
16 7씩 6번 더하면 42입니다.
17 7씩 5번 더하면 35입니다.
18 7씩 9번 더하면 63입니다.
19 7씩 7번 더하면 49입니다.

66~67쪽 연습 ❻

1 7
2 14
3 3, 21
4 4, 28
5 5, 35
6 6, 42
7 7, 49
8 8, 56
9 9, 63
10 35 / 35개

2 7씩 2번 뛰어 세면 14입니다.
3 7씩 3번 뛰어 세면 21입니다.
4 7씩 4번 뛰어 세면 28입니다.
5 7씩 5번 뛰어 세면 35입니다.
6 7씩 6번 뛰어 세면 42입니다.
7 7씩 7번 뛰어 세면 49입니다.
8 7씩 8번 뛰어 세면 56입니다.
9 7씩 9번 뛰어 세면 63입니다.

68~69쪽 적용 ❻

1 42
2 35
3 63
4 28
5 21
6 49
7 14
8 56
9 28, 63, 14, 35, 42, 21, 56
10 56, 14, 21, 42, 7, 63, 49
11 7, 49, 35, 63, 56, 42, 28
12 49, 7, 28, 14, 56, 35, 21
13 7, 56, 49, 63, 14, 35, 21

3 $7\times9=63$
4 $7\times4=28$
5 $7\times3=21$
6 $7\times7=49$
7 $7\times2=14$
8 $7\times8=56$
9 $7\times4=28$, $7\times9=63$, $7\times2=14$, $7\times5=35$, $7\times6=42$, $7\times3=21$, $7\times8=56$
10 $7\times8=56$, $7\times2=14$, $7\times3=21$, $7\times6=42$, $7\times1=7$, $7\times9=63$, $7\times7=49$
11 $7\times1=7$, $7\times7=49$, $7\times5=35$, $7\times9=63$, $7\times8=56$, $7\times6=42$, $7\times4=28$
12 $7\times7=49$, $7\times1=7$, $7\times4=28$, $7\times2=14$, $7\times8=56$, $7\times5=35$, $7\times3=21$
13 $7\times1=7$, $7\times8=56$, $7\times7=49$, $7\times9=63$, $7\times2=14$, $7\times5=35$, $7\times3=21$

70~71쪽 **원리 ❼**

1 8
2 16, 16
3 24, 24
4 32, 32
5 40, 40
6 48, 48
7 56, 56
8 64, 64
9 72, 72
10 6, 48
11 4, 32
12 2, 16
13 9, 72
14 3, 24
15 5, 40
16 8, 8, 32
17 8, 8, 56
18 8, 8, 40
19 8, 8, 64
20 8, 8, 48
21 8, 16

10 8씩 6번 더하면 48입니다.
11 8씩 4번 더하면 32입니다.
12 8씩 2번 더하면 16입니다.
13 8씩 9번 더하면 72입니다.
16 8씩 4번 더하면 32입니다.
17 8씩 7번 더하면 56입니다.
18 8씩 5번 더하면 40입니다.
19 8씩 8번 더하면 64입니다.

72~73쪽 **연습 ❼**

1 8
2 16
3 3, 24
4 4, 32
5 5, 40
6 6, 48
7 7, 56
8 8, 64
9 9, 72
10 24 / 24조각

2 8씩 2번 뛰어 세면 16입니다.
3 8씩 3번 뛰어 세면 24입니다.
4 8씩 4번 뛰어 세면 32입니다.
5 8씩 5번 뛰어 세면 40입니다.
6 8씩 6번 뛰어 세면 48입니다.
7 8씩 7번 뛰어 세면 56입니다.
8 8씩 8번 뛰어 세면 64입니다.
9 8씩 9번 뛰어 세면 72입니다.

74~75쪽 **적용 ❼**

1 48
2 32
3 72
4 24
5 16
6 56
7 40
8 64
9 8, 24, 32, 48, 72, 16, 64
10 16, 48, 24, 56, 40, 64, 72
11 64, 24, 32, 72, 8, 56, 40
12 16, 40, 8, 56, 24, 48, 64
13 72, 56, 16, 64, 32, 8, 48

1 $8\times6=48$
2 $8\times4=32$
3 $8\times9=72$
4 $8\times3=24$
5 $8\times2=16$
6 $8\times7=56$
7 $8\times5=40$
8 $8\times8=64$
9 $8\times1=8$, $8\times3=24$, $8\times4=32$, $8\times6=48$, $8\times9=72$, $8\times2=16$, $8\times8=64$
10 $8\times2=16$, $8\times6=48$, $8\times3=24$, $8\times7=56$, $8\times5=40$, $8\times8=64$, $8\times9=72$
11 $8\times8=64$, $8\times3=24$, $8\times4=32$, $8\times9=72$, $8\times1=8$, $8\times7=56$, $8\times5=40$

12 $8\times2=16$, $8\times5=40$, $8\times1=8$, $8\times7=56$, $8\times3=24$, $8\times6=48$, $8\times8=64$

13 $8\times9=72$, $8\times7=56$, $8\times2=16$, $8\times8=64$, $8\times4=32$, $8\times1=8$, $8\times6=48$

76~77쪽 원리 ❽

1	9	12	5, 45
2	18, 18	13	2, 18
3	27, 27	14	9, 81
4	36, 36	15	4, 36
5	45, 45	16	9, 9, 63
6	54, 54	17	9, 9, 27
7	63, 63	18	9, 9, 72
8	72, 72	19	9, 9, 45
9	81, 81	20	9, 9, 54
10	6, 54	21	9, 9, 36
11	3, 27		

10 9씩 6번 더하면 54입니다.
11 9씩 3번 더하면 27입니다.
12 9씩 5번 더하면 45입니다.
13 9씩 2번 더하면 18입니다.
16 9씩 7번 더하면 63입니다.
17 9씩 3번 더하면 27입니다.
18 9씩 8번 더하면 72입니다.
19 9씩 5번 더하면 45입니다.

78~79쪽 연습 ❽

1	9	6	6, 54
2	18	7	7, 63
3	3, 27	8	8, 72
4	4, 36	9	9, 81
5	5, 45	10	36 / 36권

2 9씩 2번 뛰어 세면 18입니다.
3 9씩 3번 뛰어 세면 27입니다.
4 9씩 4번 뛰어 세면 36입니다.
5 9씩 5번 뛰어 세면 45입니다.
6 9씩 6번 뛰어 세면 54입니다.
7 9씩 7번 뛰어 세면 63입니다.
8 9씩 8번 뛰어 세면 72입니다.
9 9씩 9번 뛰어 세면 81입니다.

80~81쪽 적용 ❽

1 (위에서부터) 18, 27
2 (위에서부터) 45, 9
3 (위에서부터) 36, 54
4 (위에서부터) 63, 72
5 (위에서부터) 9, 81
6 (위에서부터) 27, 63
7 (위에서부터) 54, 45
8 (위에서부터) 81, 18
9 54, 27, 45, 81, 36, 72, 63
10 18, 81, 63, 9, 27, 72, 54
11 9, 36, 81, 18, 45, 27, 63
12 72, 54, 45, 63, 18, 36, 27
13 81, 18, 9, 72, 54, 27, 36

1 $9\times2=18$, $9\times3=27$
2 $9\times5=45$, $9\times1=9$
3 $9\times4=36$, $9\times6=54$
4 $9\times7=63$, $9\times8=72$
5 $9\times1=9$, $9\times9=81$
6 $9\times3=27$, $9\times7=63$
7 $9\times6=54$, $9\times5=45$
8 $9\times9=81$, $9\times2=18$
9 $9\times6=54$, $9\times3=27$, $9\times5=45$, $9\times9=81$, $9\times4=36$, $9\times8=72$, $9\times7=63$
10 $9\times2=18$, $9\times9=81$, $9\times7=63$, $9\times1=9$, $9\times3=27$, $9\times8=72$, $9\times6=54$
11 $9\times1=9$, $9\times4=36$, $9\times9=81$, $9\times2=18$, $9\times5=45$, $9\times3=27$, $9\times7=63$
12 $9\times8=72$, $9\times6=54$, $9\times5=45$, $9\times7=63$, $9\times2=18$, $9\times4=36$, $9\times3=27$
13 $9\times9=81$, $9\times2=18$, $9\times1=9$, $9\times8=72$, $9\times6=54$, $9\times3=27$, $9\times4=36$

82~83쪽 **원리 ❾**

1 1
2 2, 2
3 3, 3
4 4, 4
5 5, 5
6 6, 6
7 7, 7
8 8, 8
9 9, 9
10 4
11 6
12 8
13 5
14 2
15 0
16 0
17 0
18 0
19 0

10 1과 어떤 수의 곱은 항상 어떤 수가 됩니다.
15 0과 어떤 수의 곱은 항상 0입니다.

84~85쪽 **연습 ❾**

1 6
2 2
3 4, 4
4 8, 8
5 9, 9
6 7
7 4
8 1
9 6
10 9
11 2
12 5
13 3
14 8
15 0
16 0
17 0
18 0
19 0
20 0
21 0 / 0점

1 1씩 6번 뛰어 세면 6입니다.
2 1씩 2번 뛰어 세면 2입니다.
3 1씩 4번 뛰어 세면 4입니다.
4 1씩 8번 뛰어 세면 8입니다.
5 1씩 9번 뛰어 세면 9입니다.

86~87쪽 **적용 ❾**

1 (위에서부터) 2, 0
2 (위에서부터) 5, 0
3 (위에서부터) 7, 0
4 (위에서부터) 4, 0
5 (위에서부터) 3, 0
6 (위에서부터) 9, 0
7 (위에서부터) 6, 0
8 (위에서부터) 8, 0
9 5, 7, 8, 1, 9, 3, 6 / 0, 0, 0, 0, 0, 0, 0
10 1, 6, 9, 4, 2, 7, 8 / 0, 0, 0, 0, 0, 0, 0
11 5, 6, 2, 4, 1, 9, 3 / 0, 0, 0, 0, 0, 0, 0
12 2, 4, 9, 6, 3, 5, 0 / 0, 0, 0, 0, 0, 0, 0

1 $1\times2=2$, $0\times2=0$
2 $1\times5=5$, $0\times5=0$
3 $1\times7=7$, $0\times7=0$
4 $1\times4=4$, $0\times4=0$
5 $1\times3=3$, $0\times3=0$
6 $1\times9=9$, $0\times9=0$
7 $1\times6=6$, $0\times6=0$
8 $1\times8=8$, $0\times8=0$
9 $1\times5=5$, $1\times7=7$, $1\times8=8$, $1\times1=1$, $1\times9=9$, $1\times3=3$, $1\times6=6$, $0\times5=0$, $0\times2=0$, $0\times7=0$, $0\times1=0$, $0\times9=0$, $0\times4=0$, $0\times3=0$
10 $1\times1=1$, $1\times6=6$, $1\times9=9$, $1\times4=4$, $1\times2=2$, $1\times7=7$, $1\times8=8$, $0\times1=0$, $0\times3=0$, $0\times9=0$, $0\times5=0$, $0\times4=0$, $0\times2=0$, $0\times8=0$
11 $1\times5=5$, $1\times6=6$, $1\times2=2$, $1\times4=4$, $1\times1=1$, $1\times9=9$, $1\times3=3$, $0\times8=0$, $0\times5=0$, $0\times2=0$, $0\times0=0$, $0\times1=0$, $0\times9=0$, $0\times3=0$
12 $1\times2=2$, $1\times4=4$, $1\times9=9$, $1\times6=6$, $1\times3=3$, $1\times5=5$, $1\times0=0$, $0\times4=0$, $0\times9=0$, $0\times1=0$, $0\times6=0$, $0\times5=0$, $0\times7=0$, $0\times0=0$

88~90쪽 평가

1 4, 8
2 7, 14
3 5, 15
4 6, 18
5 9, 27
6 3, 12
7 5, 20
8 8, 32
9 2, 10
10 5, 25
11 7, 35
12 4, 24
13 6, 36
14 8, 48
15 3, 21
16 5, 35
17 9, 63
18 1, 8
19 5, 40
20 6, 48
21 4, 36
22 8, 72
23 9, 81
24 2, 2
25 6, 6
26 8, 8
27 0
28 0
29 0
30 0
31 0
32 0

• 위에서부터 답을 채점하세요.

33 10, 48 / 12, 40
34 24, 32 / 12, 64
35 24, 9 / 8, 27
36 45, 0 / 0, 81
37 6, 21, 9, 15 / 10, 35, 15, 25
38 2, 18, 16, 6 / 7, 28, 56, 21
39 30, 42, 24, 12 / 45, 36, 54, 18
40 3, 6, 4, 7 / 0, 0, 0, 0

34 $3\times8=24$, $4\times8=32$, $3\times4=12$, $8\times8=64$
35 $8\times3=24$, $1\times9=9$, $8\times1=8$, $3\times9=27$
36 $5\times9=45$, $0\times9=0$, $5\times0=0$, $9\times9=81$
37 $3\times2=6$, $3\times7=21$, $3\times3=9$, $3\times5=15$, $5\times2=10$, $5\times7=35$, $5\times3=15$, $5\times5=25$
38 $2\times1=2$, $2\times9=18$, $2\times8=16$, $2\times3=6$, $7\times1=7$, $7\times4=28$, $7\times8=56$, $7\times3=21$
39 $6\times5=30$, $6\times7=42$, $6\times4=24$, $6\times2=12$, $9\times5=45$, $9\times4=36$, $9\times6=54$, $9\times2=18$
40 $1\times3=3$, $1\times6=6$, $1\times4=4$, $1\times7=7$, $0\times6=0$, $0\times8=0$, $0\times4=0$, $0\times7=0$

3 길이 재기

92~93쪽 원리 ❶

1	2, 70	11	7, 68
2	3, 70	12	8, 75
3	5, 79	13	6, 47
4	4, 53	14	7, 56
5	6, 25	15	5, 49
6	4, 58	16	7, 74
7	6, 29	17	8, 85
8	5, 32	18	9, 37
9	3, 80	19	5, 79
10	6, 53	20	9, 65

94~95쪽 연습 ❶

1	3 m 73 cm	13	14 m 34 cm
2	5 m 72 cm	14	15 m 40 cm
3	6 m 63 cm	15	7 m 90 cm
4	7 m 78 cm	16	9 m 65 cm
5	8 m 95 cm	17	5 m 72 cm
6	9 m 70 cm	18	14 m 53 cm
7	9 m 68 cm	19	13 m 86 cm
8	11 m 80 cm	20	12 m 39 cm
9	11 m 38 cm	21	12 m 55 cm
10	12 m 75 cm	22	2, 39 / 2 m 39 cm
11	12 m 41 cm		
12	10 m 62 cm		

15
$$\begin{array}{r} 5\text{ m }30\text{ cm} \\ +\,2\text{ m }60\text{ cm} \\ \hline 7\text{ m }90\text{ cm} \end{array}$$

16
$$\begin{array}{r} 4\text{ m }23\text{ cm} \\ +\,5\text{ m }42\text{ cm} \\ \hline 9\text{ m }65\text{ cm} \end{array}$$

17
$$\begin{array}{r} 3\text{ m }52\text{ cm} \\ +\,2\text{ m }20\text{ cm} \\ \hline 5\text{ m }72\text{ cm} \end{array}$$

18
$$\begin{array}{r} 9\text{ m }30\text{ cm} \\ +\,5\text{ m }23\text{ cm} \\ \hline 14\text{ m }53\text{ cm} \end{array}$$

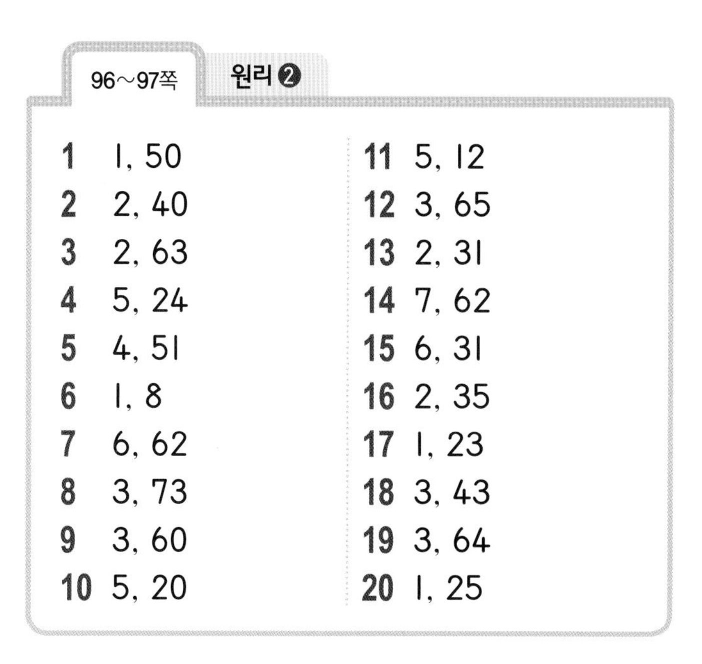

96~97쪽 원리 ❷

1	1, 50	11	5, 12
2	2, 40	12	3, 65
3	2, 63	13	2, 31
4	5, 24	14	7, 62
5	4, 51	15	6, 31
6	1, 8	16	2, 35
7	6, 62	17	1, 23
8	3, 73	18	3, 43
9	3, 60	19	3, 64
10	5, 20	20	1, 25

98~99쪽 연습 ❷

1	1 m 30 cm	13	6 m 24 cm
2	4 m 21 cm	14	7 m 31 cm
3	2 m 16 cm	15	4 m 10 cm
4	4 m 23 cm	16	3 m 13 cm
5	5 m 34 cm	17	8 m 62 cm
6	3 m 22 cm	18	7 m 15 cm
7	4 m 41 cm	19	5 m 53 cm
8	8 m 43 cm	20	5 m 28 cm
9	3 m 71 cm	21	2 m 31 cm
10	6 m 80 cm	22	2, 54 / 2 m 54 cm
11	4 m 31 cm		
12	7 m 15 cm		

16
8 m 34 cm
− 5 m 21 cm
3 m 13 cm

17
16 m 76 cm
− 8 m 14 cm
8 m 62 cm

18
13 m 87 cm
− 6 m 72 cm
7 m 15 cm

19
9 m 58 cm
− 4 m 5 cm
5 m 53 cm

20
7 m 29 cm
− 2 m 1 cm
5 m 28 cm

21
5 m 35 cm
− 3 m 4 cm
2 m 31 cm

100~101쪽 적용

1 7, 80	9 2 m 40 cm
2 7, 50	10 1 m 20 cm
3 9, 65	11 5 m 53 cm
4 7, 98	12 4 m 31 cm
5 11, 59	13 9 m 15 cm
6 10, 95	14 8 m 34 cm
7 13, 48	15 8 m 42 cm
8 14, 37	16 6 m 65 cm

1
3 m 20 cm
+ 4 m 60 cm
7 m 80 cm

2
1 m 40 cm
+ 6 m 10 cm
7 m 50 cm

3
5 m 52 cm
+ 4 m 13 cm
9 m 65 cm

4
4 m 26 cm
+ 3 m 72 cm
7 m 98 cm

5
6 m 34 cm
+ 5 m 25 cm
11 m 59 cm

6
2 m 73 cm
+ 8 m 22 cm
10 m 95 cm

7
7 m 5 cm
+ 6 m 43 cm
13 m 48 cm

8
9 m 35 cm
+ 5 m 2 cm
14 m 37 cm

9
4 m 50 cm
− 2 m 10 cm
2 m 40 cm

10
6 m 90 cm
− 5 m 70 cm
1 m 20 cm

11
9 m 85 cm
− 4 m 32 cm
5 m 53 cm

12
7 m 46 cm
− 3 m 15 cm
4 m 31 cm

13
16 m 28 cm
− 7 m 13 cm
9 m 15 cm

14
13 m 75 cm
− 5 m 41 cm
8 m 34 cm

15
10 m 47 cm
− 2 m 5 cm
8 m 42 cm

16
12 m 69 cm
− 6 m 4 cm
6 m 65 cm

102~104쪽 **평가**

1	6 m 70 cm	19	5 m 83 cm
2	9 m 60 cm	20	9 m 35 cm
3	7 m 76 cm	21	5 m 52 cm
4	8 m 94 cm	22	2 m 30 cm
5	9 m 48 cm	23	3 m 40 cm
6	12 m 39 cm	24	5 m 23 cm
7	10 m 89 cm	25	4 m 61 cm
8	7 m 80 cm	26	3 m 72 cm
9	8 m 40 cm	27	5 m 34 cm
10	6 m 58 cm	28	7 m 41 cm
11	5 m 69 cm	29	9, 70
12	9 m 85 cm	30	8, 60
13	14 m 48 cm	31	7, 68
14	11 m 67 cm	32	12, 23
15	3 m 60 cm	33	2 m 40 cm
16	4 m 10 cm	34	3 m 10 cm
17	1 m 41 cm	35	3 m 63 cm
18	2 m 12 cm	36	7 m 54 cm

8 4 m 20 cm + 3 m 60 cm = 7 m 80 cm

9 2 m 30 cm + 6 m 10 cm = 8 m 40 cm

10 5 m 28 cm + 1 m 30 cm = 6 m 58 cm

11 3 m 45 cm + 2 m 24 cm = 5 m 69 cm

22 6 m 40 cm − 4 m 10 cm = 2 m 30 cm

23 8 m 60 cm − 5 m 20 cm = 3 m 40 cm

24 7 m 54 cm − 2 m 31 cm = 5 m 23 cm

25 9 m 85 cm − 5 m 24 cm = 4 m 61 cm

29 7 m 40 cm + 2 m 30 cm = 9 m 70 cm

30 3 m 50 cm + 5 m 10 cm = 8 m 60 cm

31 1 m 43 cm + 6 m 25 cm = 7 m 68 cm

32 4 m 17 cm + 8 m 6 cm = 12 m 23 cm

33 3 m 60 cm − 1 m 20 cm = 2 m 40 cm

34 7 m 40 cm − 4 m 30 cm = 3 m 10 cm

35 5 m 94 cm − 2 m 31 cm = 3 m 63 cm

36 16 m 57 cm − 9 m 3 cm = 7 m 54 cm

4 시각과 시간

106~107쪽 원리 ❶

1	60	11	57, 1, 57
2	10, 70	12	5, 2, 5
3	5, 65	13	45, 2, 45
4	40, 100	14	50, 2, 50
5	35, 95	15	15, 2, 15
6	10, 130	16	60, 3
7	40, 160	17	10, 3, 10
8	20, 200	18	25, 3, 25
9	20, 1, 20	19	55, 3, 55
10	45, 1, 45	20	60, 4

108~109쪽 연습 ❶

1	120	17	1, 15
2	180	18	1, 38
3	90	19	1, 53
4	112	20	2, 16
5	140	21	2, 34
6	156	22	2, 3
7	108	23	1, 24
8	87	24	2, 42
9	115	25	2, 55
10	150	26	2, 39
11	177	27	3, 28
12	185	28	3, 46
13	209	29	4, 50
14	226	30	5, 35
15	161	31	50, 1, 50 / 1시간 50분
16	265		

12 3시간 5분=60분+60분+60분+5분
=185분

25 175분=60분+60분+55분
=2시간 55분

26 159분=60분+60분+39분
=2시간 39분

110~111쪽 원리 ❷

1	24	11	5, 1, 5
2	3, 27	12	8, 1, 8
3	9, 33	13	16, 1, 16
4	12, 36	14	23, 1, 23
5	20, 44	15	5, 2, 5
6	24, 48	16	9, 2, 9
7	6, 54	17	14, 2, 14
8	10, 58	18	22, 2, 22
9	15, 63	19	19, 2, 19
10	24, 72	20	24, 3

112~113쪽 연습 ❷

1	29	17	1, 2
2	31	18	1, 6
3	34	19	1, 11
4	42	20	1, 17
5	45	21	2, 7
6	52	22	2, 16
7	56	23	2, 23
8	61	24	3, 7
9	67	25	3, 15
10	69	26	3, 20
11	74	27	4, 18
12	80	28	5, 8
13	89	29	6, 13
14	105	30	4, 1, 4 / 1일 4시간
15	131		
16	160		

9 2일 19시간=24시간+24시간+19시간
=67시간

10 2일 21시간=24시간+24시간+21시간
=69시간

11 3일 2시간=24시간+24시간+24시간+2시간
=74시간

12 3일 8시간=24시간+24시간+24시간+8시간
=80시간

25 87시간=24시간+24시간+24시간+15시간
=3일 15시간

26 92시간=24시간+24시간+24시간+20시간
=3일 20시간

27 114시간=24시간+24시간+24시간+24시간
+18시간
=4일 18시간

28 128시간=24시간+24시간+24시간+24시간
+24시간+8시간
=5일 8시간

29 157시간=24시간+24시간+24시간+24시간
+24시간+24시간+13시간
=6일 13시간

114~115쪽 원리 ❸

1	5, 12	11	4, 16
2	2, 16	12	7, 19
3	6, 20	13	6, 30
4	4, 25	14	10, 34
5	3, 31	15	12, 36
6	4, 1, 4	16	5, 1, 5
7	6, 1, 6	17	11, 1, 11
8	5, 2, 5	18	3, 2, 3
9	3, 3, 3	19	9, 2, 9
10	5, 4, 5	20	2, 3, 2

116~117쪽 연습 ❸

1	10	16	5, 5
2	13	17	15
3	15	18	18
4	18	19	22
5	23	20	26
6	26	21	29
7	32	22	39
8	38	23	43
9	1, 2	24	54
10	1, 5	25	1, 2
11	2, 3	26	1, 9
12	2, 6	27	2, 7
13	3, 1	28	3, 4
14	3, 6	29	4, 5
15	4, 2	30	12, 5 / 5년

1 1주일 3일=7일+3일=10일

5 3주일 2일=7일+7일+7일+2일
=23일

9 9일=7일+2일=1주일 2일

13 22일=7일+7일+7일+1일
=3주일 1일

17 1년 3개월=12개월+3개월
=15개월

21 2년 5개월=12개월+12개월+5개월
=29개월

25 14개월=12개월+2개월
=1년 2개월

118~119쪽 적용

1 (선 잇기)
2 (선 잇기)
3 (선 잇기)
4 (선 잇기)
5 28
6 55
7 74
8 1, 9
9 1, 16
10 2, 13
11 3, 7
12 11
13 19
14 24
15 1, 4
16 2, 2
17 3, 5
18 4, 3
19 21
20 32
21 42
22 1, 10
23 2, 8
24 3, 5
25 4, 7

1 • 1시간 35분=60분+35분=95분
• 2시간 5분=60분+60분+5분=125분
• 1시간 15분=60분+15분=75분

2 • 1시간 30분=60분+30분=90분
• 1시간 40분=60분+40분=100분
• 1시간 20분=60분+20분=80분

3 • 2시간 25분=60분+60분+25분=145분
• 2시간 45분=60분+60분+45분=165분
• 1시간 55분=60분+55분=115분

4 • 2시간 50분=60분+60분+50분=170분
• 3시간 10분=60분+60분+60분+10분
=190분
• 3시간 20분=60분+60분+60분+20분
=200분

5 1일 4시간=24시간+4시간
=28시간

6 2일 7시간=24시간+24시간+7시간
=55시간

7 3일 2시간=24시간+24시간+24시간+2시간
=74시간

8 33시간=24시간+9시간
=1일 9시간

9 40시간=24시간+16시간
=1일 16시간

10 61시간=24시간+24시간+13시간
=2일 13시간

11 79시간=24시간+24시간+24시간+7시간
=3일 7시간

12 1주일 4일=7일+4일
=11일

13 2주일 5일=7일+7일+5일
=19일

14 3주일 3일=7일+7일+7일+3일
=24일

15 11일=7일+4일
=1주일 4일

16 16일=7일+7일+2일
=2주일 2일

17 26일=7일+7일+7일+5일
=3주일 5일

18 31일=7일+7일+7일+7일+3일
=4주일 3일

19 1년 9개월=12개월+9개월
=21개월

20 2년 8개월=12개월+12개월+8개월
=32개월

21 3년 6개월=12개월+12개월+12개월+6개월
=42개월

22 22개월=12개월+10개월
=1년 10개월

23 32개월=12개월+12개월+8개월
=2년 8개월

24 41개월=12개월+12개월+12개월+5개월
=3년 5개월

25 55개월=12개월+12개월+12개월+12개월
+7개월
=4년 7개월

120~122쪽 **평가**

1 70
2 86
3 163
4 189
5 1, 57
6 1, 35
7 2, 15
8 3, 20
9 39
10 44
11 57
12 83
13 1, 3
14 1, 18
15 2, 19
16 3, 16
17 9
18 11
19 17
20 27
21 1, 3
22 2, 5
23 3, 4
24 4, 6
25 23
26 21
27 31
28 46
29 1, 8
30 2, 11
31 3, 9
32 4, 6
33
34
35 77
36 30
37 33
38 1, 21
39 2, 5
40 2, 1
41 3, 5
42 1, 11
43 3, 10

1 1시간 10분=60분+10분=70분

5 117분=60분+57분
=1시간 57분

9 1일 15시간=24시간+15시간
=39시간

13 27시간=24시간+3시간
=1일 3시간

17 1주일 2일=7일+2일=9일

21 10일=7일+3일
=1주일 3일

22 19일=7일+7일+5일
=2주일 5일

25 1년 11개월=12개월+11개월
=23개월

29 20개월=12개월+8개월
=1년 8개월

33 • 1시간 28분=60분+28분=88분
• 1시간 48분=60분+48분=108분
• 1시간 38분=60분+38분=98분

34 • 2시간 55분=60분+60분+55분=175분
• 3시간 5분=60분+60분+60분+5분
=185분
• 2시간 35분=60분+60분+35분=155분

35 3일 5시간=24시간+24시간+24시간+5시간
=77시간

36 4주일 2일=7일+7일+7일+7일+2일
=30일

37 2년 9개월=12개월+12개월+9개월
=33개월

38 45시간=24시간+21시간
=1일 21시간

39 53시간=24시간+24시간+5시간
=2일 5시간

40 15일=7일+7일+1일=2주일 1일

41 26일=7일+7일+7일+5일
=3주일 5일

42 23개월=12개월+11개월
=1년 11개월

43 46개월=12개월+12개월+12개월+10개월
=3년 10개월

Memo

초능력 수학 연산 2·2
정답 및 풀이

하루 2쪽
10분 완성

초능력 수학 연산